INOLVIDABLES

Un homenaje a
101 personajes ilustres
que murieron jóvenes

INOLVIDABLES

Un homenaje a 101 personajes ilustres que murieron jóvenes

Tim Hill

PaRragon

Bath · New York · Singapore · Hong Kong · Cologne · Delhi
Melbourne · Amsterdam · Johannesburg · Shenzhen

ÍNDICE

Introducción

En los albores del siglo xx el sueño del automóvil apenas había echado a rodar, las máquinas más pesadas que el aire aún no habían conquistado los cielos, y el teléfono y la telegrafía sin hilos eran los inventos tecnológicos más punteros. Los últimos cien años han presenciado el auge de la información. Vivimos en la era de la comunicación de masas, la época del cine y la televisión. El siglo xx ha marcado un antes y un después en el ámbito político, mientras que el deporte y el mundo del espectáculo se han convertido en negocios multimillonarios a cuyas estrellas encumbramos a pedestales de vértigo.

Gracias a la aldea global tenemos a nuestros héroes al alcance de la mano. El éxito rotundo siempre va acompañado de la fama. Encumbramos a todo aquel cuyo talento le ha llevado a la cima en su especialidad. Sin embargo, también nuestros ídolos están expuestos a las vicisitudes de la vida, como el resto de los mortales. Tampoco ellos escapan de los accidentes trágicos, ni de las jugarretas del destino, ni de la enfermedad; y en ocasiones ellos mismos atraen la ruina a través de sus excesos.

La muerte prematura siempre es una tragedia, pero cuando alguien idolatrado por millones de personas se enfrenta a su propia mortalidad antes de tiempo, el drama adopta otro cariz. Las multitudes que lloraron la pérdida de Rodolfo Valentino, Elvis Presley, John Lennon, la princesa Diana de Gales o Michael Jackson convirtieron sus muertes en acontecimientos de escala mundial. En casos así, los elogios y el pesar se convierten en experiencias compartidas por todo el mundo. La muerte del personaje nos conmueve en la misma medida en que nos conmovieron sus éxitos y su genialidad. El sentimiento de pérdida es tan universal como el aplauso, y muchas veces va más allá del respeto o el homenaje: cuando nuestros ídolos abandonan definitivamente el escenario, su marcha suele ir acompañada de vigilias, capillas ardientes y peregrinajes.

Los protagonistas de estas páginas marcaron un hito y dejaron un legado fértil e indeleble. Muchos, como Marilyn Monroe, Freddie Mercury y Ayrton Senna, habían llegado ya a la cima, pero aun así no podemos dejar de preguntarnos cómo habrían evolucionado sus vidas de haber seguido vivos. El campeón de Fórmula 1 brasileño murió haciendo lo que más le gustaba, lo que hacía mejor que nadie, lo que llenaba de ilusión a su ejército de seguidores. Bruce McLaren y Dale Earnhardt Sr estaban hechos de la misma pasta; y también Amy Johnson, Amelia Earhart y Steve Irwin perdieron la vida mientras hacían lo que mejor se les daba y tanta admiración despertaba.

James Dean fue otro de los que llegó a lo más alto, pero su tiempo en la cima apenas le alcanzó para rodar tres películas inolvidables antes de que, con 24 años cumplidos, el destino acudiese a su encuentro al volante de un Porsche Spyder y congelase en el tiempo su icónica imagen. Otro tanto sucedió con River Phoenix, Heath Ledger y Kurt Cobain, incipientes figuras del imaginario colectivo en el momento de dejarnos. El éxito rotundo que alcanzaron en sus carreras auguraba una grandeza futura que el destino se encargó de frustrar. Lo mismo podría decirse de Bix Beiderbecke y Amy Winehouse; con demasiada frecuencia el virtuosismo y la vena destructiva son las dos caras de una misma moneda. En estas páginas abundan las historias personales de estrellas fulgurantes que se consumieron en su propio fulgor. El abuso de drogas y alcohol es un tema recurrente. Judy Garland, John Belushi, Hank Williams y Charlie *Bird* Parker son solo algunos de los artistas que vieron sus vidas arruinadas y truncadas por los estragos de la bebida y las pastillas, pero que alegraron también la vida de mucha gente antes de sucumbir irremisiblemente a sus adicciones.

Cobain y Winehouse pertenecen al tristemente célebre «club de los 27», del que también forman parte Jimi Hendrix, Janis Joplin y Jim Morrison. Jean Harlow, la rubia explosiva de la década de 1930, no llegó siquiera a ingresar en él, ya que falleció enferma a la edad de 26 años. Lou Gehrig, Bob Marley y Steve McQueen también pasaron sus últimos días postrados en cama después de librar una larga batalla contra la enfermedad, mientras que un accidente inesperado se llevó a Buddy Holly, Patsy Cline, Payne Stewart y Jeff Buckley. Todos ellos vivieron su momento de gloria, aunque en algunos casos fue demasiado breve. A Ana Frank, la fama y el reconocimiento le llegaron tras la muerte, mientras que Nick Drake, un hombre atormentado y de carácter débil, fue encumbrado póstumamente como artista de culto tras verse ignorado como músico durante su corta vida.

Tanto si alcanzaron el éxito tarde o temprano, si su muerte fue voluntaria o llegó por un trágico vuelco del destino, nos sentimos huérfanos porque nuestros héroes ya no están con nosotros. Este sentimiento se intensifica más aún en el terreno político. Con el asesinato de Martin Luther King, Robert Kennedy y Benazir Bhutto no solo se truncaron tres vidas, sino también las esperanzas de mucha gente. John F. Kennedy y Winston Churchill murieron con dos años de diferencia; el mundo despidió al estadista nonagenario con todos los honores, pero lloró por la carrera truncada de un presidente de 46 años.

Este libro es un recorrido por la vida de un centenar de personajes ilustres que nos dejaron demasiado pronto. Por sus dones extraordinarios ocuparon un plano distinto al del resto de los mortales. No eran sobrehumanos, pero sus éxitos les han perpetuado, por eso siguen estando vivos en nuestros corazones y nuestros recuerdos.

John Lennon Marc Bo
Brian Jones Gram Parso
Kurt Cobain Jimi Hend
Sid Vicious Frank Zappa Fre

Músicos:
pop y rock

Marc Bolan

GURÚ DEL GLAM ROCK
30 DE SEPTIEMBRE DE 1947 - 16 DE SEPTIEMBRE DE 1977

A principios de la década de 1970 y en el momento culminante de su popularidad, la banda T Rex vendía 100.000 discos cada día. Su andrógino líder Marc Bolan fue la fuerza que impulsó el fenómeno de la *rexmanía* que arrasó en todo el mundo.

Mark Feld, londinense de nacimiento, tenía inclinaciones poéticas desde su más tierna edad. La música se convirtió en su medio de expresión favorito en cuanto se hizo con una guitarra. Influido por Dylan, se sumergió en los ambientes de música folk y en sus canciones cantaba sobre hechiceros y sátiros. Durante un tiempo se presentó sobre los escenarios con el nombre de Toby Tyler, antes de reinventarse con un apellido que supuestamente era un acrónimo del nombre de su ídolo Bob Dylan.

A pesar de los floridos conceptos presentes en sus letras, Bolan ansiaba el éxito frente al gran público. Cuando no lo logró con el grupo de *rock* John's Children, formó la banda Tyrannosaurus Rex con el percusionista Steve Took. Y encontró a su público con un sonido folk *rock* psicodélico. ¿Acaso ha habido un álbum cuyo título y grafismo (inspirados en Tolkien) reflejaran mejor el espíritu del tiempo que *My People Were Fair And Had Sky In Their Hair… But Now They're Content To Wear Stars On Their Brows*?

«Era un espíritu libre y lo sigo siendo. Quería recoger información y experimentarlo todo.»

Mickey Finn sustituyó a Took, pero el verdadero cambio se produjo en 1970, cuando Bolan renombró al grupo T Rex y dio entrada a las guitarras eléctricas, un paso dado con anterioridad por el propio Dylan. Con el tema *Ride a White Swan*, que alcanzó el número dos en el Reino Unido, Bolan halló una veta comercial que explotó sin tregua durante los siguientes tres años. *Hot Love*, *Get It On*, *Jeepster*, *Telegram Sam* y *Metal Guru* se auparon a lo más alto de las listas de éxitos y completaron la serie de diez sencillos que T Rex consiguió colocar consecutivamente en la lista de los cinco más vendidos. Engalanado con purpurina, maquillaje y atuendos extravagantes, Bolan encabezó la acometida del *glam rock*, si bien en Estados Unidos nunca llegaron a entender del todo el porqué de tanto revuelo.

Hacia 1975 se desinfló el globo. Los discos sencillos pasaban casi desapercibidos. El consumo de alcohol y cocaína de Bolan adquirió un cariz preocupante, y el otrora atractivo cantante empezó a acumular kilos. Se apartó de los escenarios durante un año y puso orden en su vida, animado en parte por el nacimiento de su hijo Rolan.

La carrera de Bolan repuntó con temas como *New York City* y *I Love to Boogie*. Acababa de estrenar su propio programa de televisión cuando, poco antes de cumplir 30 años, se mató en un accidente de coche. Tras una noche de fiesta en Londres, Gloria, su mujer, iba al volante con rumbo a casa cuando chocaron con un árbol.

Arriba: Marc Bolan con Gloria Jones, 1977.

Abajo: Elton John y Marc Bolan en los estudios Tittenhurst de John Lennon durante el rodaje de Born to Boogie, *1972.*

Página contigua: Bolan fotografiado en 1974.

Jeff Buckley

«UNA GOTA DE PUREZA EN UN OCÉANO DE RUIDO»
17 DE NOVIEMBRE DE 1966 - 29 DE MAYO DE 1997

«*Grace* ('gracia') es lo importante, en todo [...] evita que te apresures a echar mano de la pistola; impide que destruyas cosas por inconsciencia.» Así describía a Jeff Buckley Bono, de U2, una opinión compartida por muchos otros músicos legendarios, así como por un gran número de fans de todo el mundo. Y resulta especialmente notable porque la fama de Buckley se debe a un solo álbum de estudio que tuvo una acogida muy discreta cuando salió a la venta.

En plena adolescencia, cuando compró una Gibson Les Paul, la ambición explícita de Jeff Buckley era convertirse en un gran guitarrista. Pretendía con ello marcar distancias con respecto a su madre, pianista de formación clásica, pero, sobre todo, evitar las comparaciones con un padre al que apenas había conocido. Separado de la madre de Jeff antes de que naciera este, Tim Buckley era una figura venerada del panorama musical. Descubierto en los clubes de folk de Los Ángeles a mediados de la década de 1960, grabó nueve discos durante la década siguiente, pasando de un género a otro sin esfuerzo alguno. Tim no llegó a cosechar los beneficios comerciales que su talento merecía; su influencia creció tras morir de una sobredosis accidental en 1975.

«La música me cautivó a muy temprana edad y se convirtió en lo mejor de mi vida.»

Tras resistirse a ello durante mucho tiempo, Jeff consiguió aceptarse en el papel de vocalista. Hacia 1990 había hecho una maqueta que incluía versiones rudimentarias de *Last Goodbye* y *Eternal Life*, dos temas que aparecerían en su álbum *Grace* cuatro años más tarde. En 1991 actuó en un concierto en homenaje a su padre en Nueva York, lo que dio lugar a que muchos comentaran el extraño parecido entre ambos. También tenían en común una voz extraordinaria, cada una con un registro excepcional.

Izquierda: Jeff Buckley en el Festival de Glastonbury, 1994.

Página contigua: En el escenario en los Países Bajos, 1995.

Jeff contaba ya con admiradores incondicionales en el circuito de discotecas neoyorquinas y un EP de cuatro pistas a su nombre cuando Sony firmó con él un acuerdo para grabar tres álbumes. El resultado fue *Grace*, que contenía trabajos de Benjamin Britten, el *Hallelujah* de Leonard Cohen y una versión de *Lilac Wine*, además de un puñado de temas originales. Tras la gira de promoción, Buckley se concentró en el nuevo disco. Las expectativas creadas eran enormes, y Jeff atravesó un bache creativo que le llevó a trasladarse a Memphis. El material que escribió para el nuevo trabajo –que ya llevaba el título de *My Sweetheart the Drunk*– extasió a su banda y a los directivos de la discográfica.

Las canciones aún tenían la forma de una maqueta de cuatro pistas cuando Jeff Buckley se ahogó mientras se daba un chapuzón, totalmente vestido, en el río Wolf. Tenía 30 años, dos más de los que tenía al morir su padre Tim.

LA VOZ DEL CORAZÓN
2 DE MARZO DE 1950 - 4 DE FEBRERO DE 1983

The Carpenters supieron mantenerse ajenos a las tendencias imperantes en la década de 1970 y con su sonido comercial cautivaron a un ejército de leales seguidores. Richard Carpenter era el genio musical y maestro arreglista, pero fue la inconfundible, evocadora y hermosa voz de su hermana Karen la que les permitió disfrutar de una larga serie de éxitos mundiales.

Su infancia transcurrió en New Haven (Connecticut): mientras Richard aprendía a tocar el piano, lo más normal era que Karen estuviese en la calle, entregada a actividades más propias de una niña que de un niño. Las cosas cambiaron un poco cuando la familia se trasladó a Downey (California) en 1963, cuando Karen comenzó a tocar la batería en el instituto para librarse de las matemáticas.

El trío de los hermanos –un tubista completaba el grupo– ganó un concurso de bandas en 1966 y llamó la atención de la discográfica RCA. Aquel acuerdo pronto quedó en nada: el trío se transformó en un grupo llamado Spectrum y, con el tiempo, Richard y Karen decidieron seguir por su cuenta. Dieron un gran paso adelante cuando una de sus maquetas apareció en la mesa de Herb Alpert, cofundador de A&M, quien los fichó para su sello en 1969.

El sencillo de su debut, una versión lenta de *Ticket to Ride* de los Beatles, funcionó medianamente. El siguiente sencillo fue *Close to You* escrito por Bacharach-David, que les valió su primer número uno y un premio Grammy. Karen era un manojo de inseguridades relacionadas con su aspecto y no tenía grandes deseos de concentrar los focos sobre su persona.

«Ni siquiera Mickey Mouse sería capaz de mantener la imagen que tenemos. Solo somos gente normal.»

We've Only Just Begun' empleada primero en el anuncio de un banco, les afianzó en el estrellato y los éxitos se fueron sucediendo: *Rainy Days and Mondays, Yesterday Once More* y *Goodbye to Love* contribuyeron a que el grupo superase los 100 millones de discos vendidos.

Hacia mediados de la década de 1970 saltaron las primeras alarmas. Karen reaccionó ante los comentarios en los medios sobre su peso con una dieta de choque, que a veces la debilitaba demasiado para cumplir con los agotadores compromisos del dúo. La anorexia nerviosa no era entonces una enfermedad bien documentada, y aún en 1981 Karen seguía negándola y alegaba estar simplemente «reventada» cuando se le preguntaba por su alarmante aspecto. Un desastroso y efímero matrimonio hizo poco para devolverle algo de felicidad.

El 4 de febrero de 1983 Karen Carpenter sufrió un infarto letal provocado por su trastorno alimentario. Ese mismo año Richard sacó un nuevo álbum titulado *Voice of the Heart*, en el que presentaba material que no había sido utilizado en proyectos anteriores. En 1996 el álbum epónimo en solitario de Karen, aparcado desde 1979, llegó por fin a las tiendas de discos.

Derecha, arriba: Richard y Karen, 1974.

Derecha, abajo: Karen toca la batería y canta en 1971.

Página contigua: En el Royal Festival Hall, Londres, 1974.

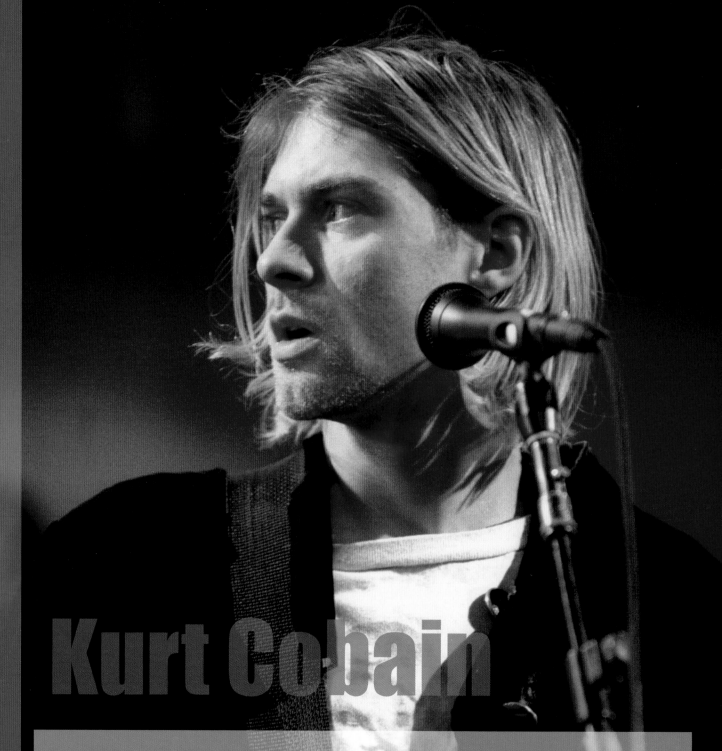

Kurt Cobain

PADRINO DEL GRUNGE
20 DE FEBRERO DE 1967 - 5 DE ABRIL DE 1994

Kurt Cobain creyó intuir que su destino seguiría la trayectoria habitual en toda estrella del *rock:* a la fama y los aplausos les seguiría un periodo de oscuridad provocado por él mismo. Cumplió con la primera parte con *Nevermind*; una escopeta se encargó de lo segundo.

Kurt Donald Cobain creció en Aberdeen (Washington). Sus padres se separaron cuando tenía nueve años, un trauma emocional para un niño hiperactivo a quien recetaron Ritalin para controlar su comportamiento. Cobain

creía que el haberse acostumbrado a consumir pastillas a edad tan temprana pudo contribuir a los problemas de adicción crónica con los que tuvo que luchar hasta su muerte. De su infancia conservó también una fascinación patológica por la muerte –un inquietante síntoma en una familia con antecedentes de problemas de salud mental y suicidio.

Al principio de su adolescencia, la guitarra y la composición de canciones fueron las principales válvulas de escape de su expresión creativa. Sin embargo, ganar dinero con la música seguía siendo algo lejano. Mientras tanto tuvo una serie de empleos precarios que apenas le sustentaban.

Hubo varias colaboraciones y cambios de nombre antes de que Cobain se decidiera por Nirvana, con Krist Novoselic en el bajo y, desde 1990, Dave Grohl en la

«Toda mi vida he soñado con ser una gran estrella del rock. Así que bien se puede abusar de ello mientras dure.»

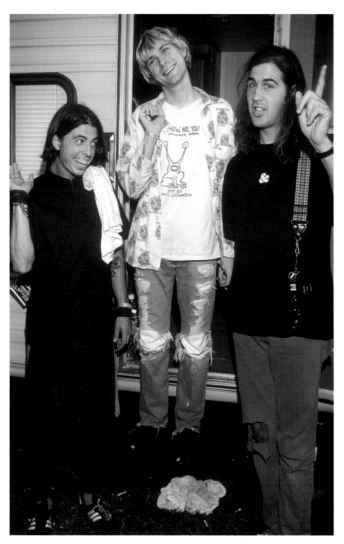

batería. En noviembre de 1988, la banda publicó su primer sencillo, *Love Buzz*, con el sello discográfico Sub Pop, y obtuvieron un éxito minoritario dentro y fuera del país con su primer álbum *Bleach*. Habían firmado con DGC, el sello de David Geffen, cuando *Nevermind* apareció en las tiendas de discos y en las emisoras en otoño de 1991. El primer tema del álbum, *Smells Like Teen Spirit* –escrita por Cobain a partir de fragmentos de pintadas de dormitorio– entró en los primeros puestos de las listas de ventas a ambos lados del Atlántico, mientras el álbum alcanzaba ventas estratosféricas.

En 1992 Cobain se casó con Courtney Love, con quien tuvo una hija ese mismo año. La paternidad le aportó una mejoría temporal de los estados depresivos que padecía: «Siempre he sufrido de depresión crónica, o al menos he sido pesimista, durante una parte de cada día». Cobain se encontraba en baja forma física y psicológica cuando Nirvana se embarcó en una gira mundial para promocionar su tercer álbum *In Utero*. Múnich resultó ser la última parada. Cobain regresó a la mansión que acababa de comprar cerca de Lake Washington y se descerrajó un tiro con una escopeta. En una nota escrita que fue considerada su última réplica, Cobain eligió una frase de Neil Young: «Es mejor arder que desvanecerse».

Arriba: Kurt Cobain con Courtney Love y su bebé Frances Bean en 1993.

Izquierda: Dave Grohl, Kurt Cobain y Krist Novoselic en los MTV Video Awards de 1992.

Página contigua: Cobain en el escenario en 1993.

Ian Curtis

LA VOZ DE LA ALIENACIÓN POSTPUNK
15 DE JULIO DE 1956 - 18 DE MAYO 1980

Ian Curtis se convirtió en el foco de atención de Joy Division, cuyos temas cantaba en un estado de trance mientras bailaba como una marioneta demente.

Ian Curtis nació en Manchester pero estudió en Macclesfield (Cheshire). A edad temprana puso la mira en una carrera musical y con ese fin consiguió empleo en una tienda de discos de Manchester. Mucho menos rocanrolero fue su periodo de funcionario, un puesto que le permitía pagar las facturas mientras intentaba introducirse en el sector.

En 1976 Curtis fue fichado por el bajista Peter Hook y el guitarrista Bernard Sumner, unos amigos de la infancia que necesitaban un cantante para la banda que estaban formando. En mayo del año siguiente, pisaron los escenarios como Warsaw. Stephen Morris sustituyó al primer batería a finales de año, cuando el cuarteto se reinventó como Joy Division, una referencia a la prostitución impuesta en los campos de concentración nazis.

Con Rob Gretton como representante, el grupo firmó con el recién creado sello discográfico Factory de Tony Wilson. Después de un EP de edición limitada llegaron el primer álbum *Unknown Pleasures* y el sencillo *Transmission*. Ambos fueron éxitos *indie*: a través de sus letras, crudas y descarnadas, Curtis consiguió contactar con un público que se sentía perdido en la desolación de los paisajes urbanos.

> **«La existencia,
> ¿qué importancia tiene?
> Existo lo mejor que puedo.»**

Abajo: Ian Curtis con Bernard Sumner a la guitarra en una actuación de Joy Division en Róterdam, 1980.

Página contigua: Curtis en el Electric Ballroom, Londres, 1979.

Joy Division se convirtió en banda de culto para sus seguidores, pero aun con el éxito comercial al alcance de la mano, la vida de Curtis seguía siendo caótica. Se había casado con su novia del colegio a los 19 años y su mujer tuvo una niña en 1979. La ruptura de la relación fue un duro golpe para él, su salud se deterioró y comenzó a padecer ataques, a veces en plena actuación. Le diagnosticaron epilepsia y la medicación necesaria para detener los ataques le ocasionó espectaculares cambios de humor. En *She's Lost Control* hace un emotivo relato de su debilitante enfermedad.

Ian Curtis se ahorcó en su casa de Macclesfield unos días antes de que la banda emprendiera una gira por Estados Unidos. No vivió para ver cómo subía en las listas de éxitos su canción más conocida, *Love Will Tear Us Apart*, ni la presentación de su segundo álbum, *Closer*. La letra de este último es un grito de desesperación y desintegración, y revela la mentalidad de un hombre que contempla el abismo, en una nota suicida en la medida en que lo puede ser algo grabado en un vinilo, con sentimientos de desolación subrayados y redimidos por una música fascinante y cargada de efectos.

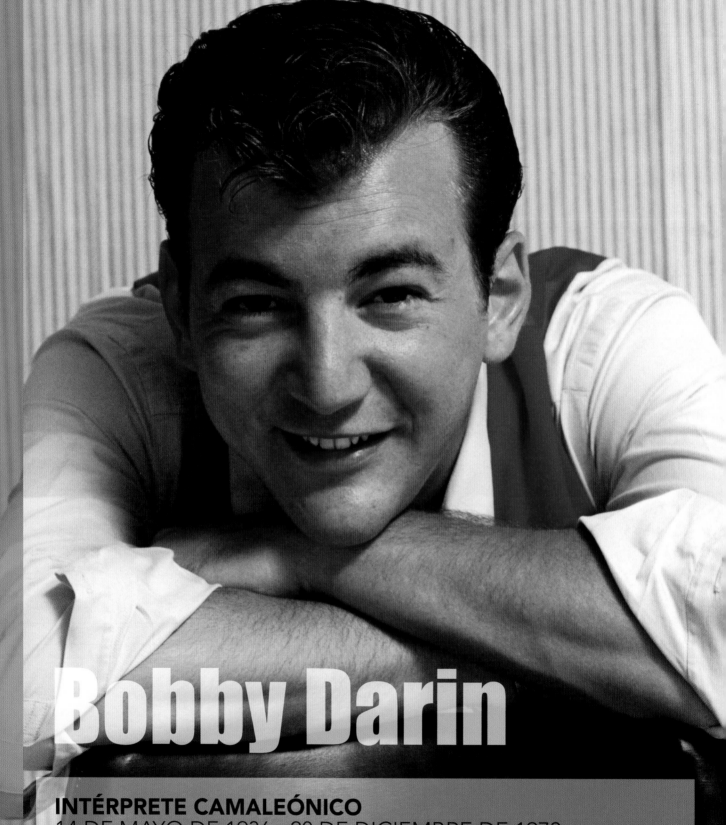

Bobby Darin

INTÉRPRETE CAMALEÓNICO
14 DE MAYO DE 1936 - 20 DE DICIEMBRE DE 1973

Bobby Darin fue un ídolo de adolescentes en la década de 1950 que consiguió abrirse a un público más maduro cuando se reinventó como cantante melódico de clubes nocturnos al estilo de Sinatra. Compositor de talento y multiinstrumentista, era capaz de crear sintonías para programas y canciones de protesta con el mismo desparpajo.

Bobby Darin, cuyo verdadero nombre era Walden Robert Cassotto, creció entre estrecheces en el Bronx. Era un hombre que tenía prisa. Un episodio de fiebre reumática en la infancia le debilitó el corazón. Esto aumentó su determinación de triunfar, de acumular tanto éxito en el mundo del espectáculo y tanta experiencia vital como le fuera posible antes de que su salud empeorara.

Con esa mentalidad, Darin abandonó sus estudios teatrales en el Hunter College de Nueva York para hacer carrera en el mundo del espectáculo. Se asoció con el letrista Don Kirshner y firmó con Decca. Pero fue después de pasarse a Atco, la filial de Atlantic, cuando en 1958 alcanzó la fama con un temita ligero, *Splish Splash*. Del disco se vendieron más de un millón de copias y se cuenta que Darin lo compuso a vuela pluma y en tan solo unos minutos cuando el pinchadiscos Murray the K le retó a escribir una canción con ese título.

Después vinieron los enormes éxitos *Queen of the Hop* y *Dream Lover*, mientras que *Mack the Knife*, inspirada en la *Ópera de tres peniques* de Bertolt Brecht y Kurt Weill, fue el sencillo más vendido de 1959 en Estados Unidos.

A principios de la década de 1960 Darin era un artista de cabaré consagrado, un habitual en el circuito de Las Vegas. También irrumpió en el cine y compartió escena con actores como Sidney Poitier y Steve McQueen, y fue candidato al *oscar* con su actuación en *El capitán Newman* (1963).

«Quiero triunfar más rápido de lo que nadie lo haya hecho antes. Me gustaría ser una leyenda a los 25 años.»

En 1960 se casó con Sandra Dee, que había compartido el protagonismo con él en *Cuando llegue septiembre* (1961).

Multiplication, You Must Have Been a Beautiful Baby y *Things* también entraron en las listas, pero a partir de su versión de *If I Were a Carpenter* de Tim Hardin, que se situó entre los 10 primeros puestos de 1966, el éxito comenzó a eludirle. Discos como *Commitment* desvelaron una dimensión política menos comercial; aun así, Darin retomó senderos más convencionales con un programa televisivo a principios de la década de 1970.

Bobby Darin tenía 37 años cuando murió después de una operación a corazón abierto en 1973. Fue incluido en el Salón de la Fama del Rock en 1990, y en el equivalente para compositores en 1999; en 2010 se le concedió el Grammy al conjunto de su carrera.

Abajo: Bobby Darin y su mujer, Sandra Dee.

Página contigua: Darin a principios de la década de 1960.

John Denver

ACTIVISTA Y CANTAUTOR
31 DE DICIEMBRE DE 1943 - 12 DE OCTUBRE DE 1997

John Denver, uno de los artistas más queridos del mundo, obtuvo reconocimiento internacional como cantante, letrista, actor, ecologista, así como por su labor humanitaria. Su música ha sobrevivido a innumerables tendencias musicales y ha merecido numerosos premios.

Hijo de un oficial de las fuerzas aéreas de Estados Unidos, John Deutschendorf hijo tuvo una infancia marcada por los continuos traslados de su familia de destino en destino. Su interés por la música se lo inculcó su abuela materna, que le regaló su primera guitarra cuando John tenía 11 años. En 1963 Denver se fue de casa y se trasladó a Los Ángeles para introducirse en la escena musical. Fue en ese momento cuando acortó su nombre y adoptó como nuevo apellido el nombre de la capital de su estado favorito, Colorado; posteriormente se afincó con su familia en Aspen y su pasión por las montañas Rocosas inspiró muchas de sus canciones.

Denver tuvo su primera oportunidad importante en 1965, cuando fue elegido como el nuevo cantante principal del popular Mitchell Trio. Dos años y tres álbumes después, había perfeccionado sus considerables dotes vocales y creado un estilo propio de escribir canciones. Consiguió un mayor reconocimiento cuando Peter, Paul and Mary grabaron su *Leaving on a Jet Plane* y obtuvieron con él su primer y único número uno en las listas de éxitos. En 1969 Denver ya había abandonado Mitchell Trio e iba escalando las listas de éxitos como solista con canciones como *Take Me Home, Country Roads, Rocky Mountain High* y *Annie's Song*, convirtiéndose en una de las principales estrellas de la década de 1970.

«La música sí une a las personas. Nos permite experimentar las mismas emociones.»

Con el tema *Whose Garden Was This?* Denver fue uno de los primeros artistas que expresaron un mensaje ecológico a través de la música. También fue cofundador de la iniciativa Hunger Project, comprometida con el fin del hambre en el mundo, y fundó la Windstar Foundation para promover un modelo de vida sostenible. Su pasión por crear una comunidad global le llevó a actuar en la antigua URSS y en la China continental. Fue el primer artista de Occidente en aventurarse en aquellos países. Volvió a la URSS en 1987 para dar un concierto benéfico por las víctimas de Chernóbil.

En la década de 1960 Denver se había casado con Annie Martell y adoptaron dos niños, pero en 1982 se divorciaron. Con su segunda mujer, Cassandra Delaney, tuvo una niña, pero su matrimonio también terminó en 1993. Denver era muy aficionado a los deportes y le encantaba volar; murió cuando la avioneta que pilotaba se estrelló en el mar cerca de Pacific Grove (California).

Arriba: John y Annie Denver fotografiados en Nueva York, 1980.

Abajo: Denver fotografiado en el paisaje que tanto amaba.

Página contigua: John Denver en el sur de California, 1990.

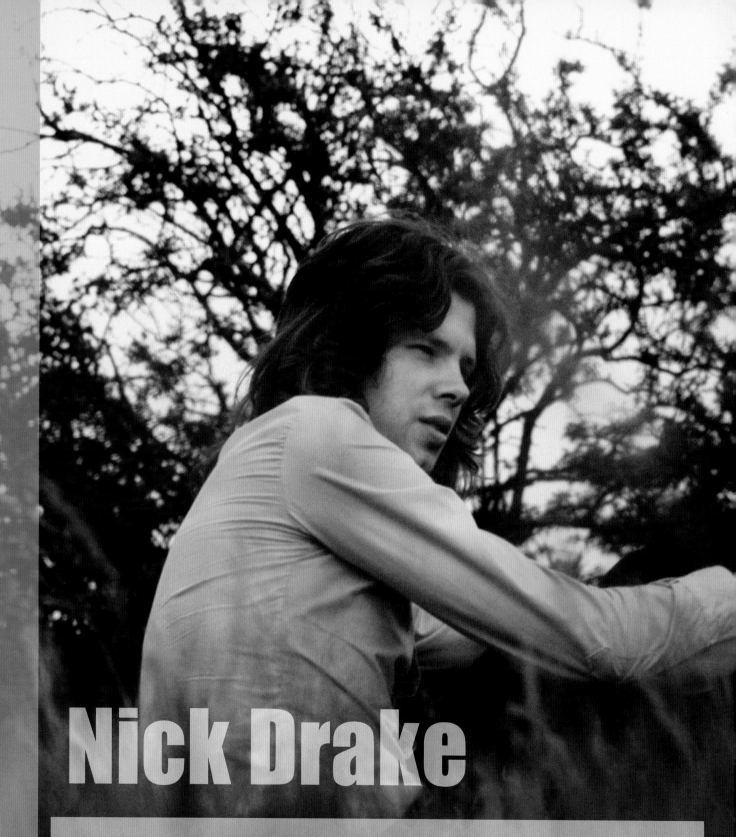

Nick Drake

CANTAUTOR ATORMENTADO
19 DE JUNIO DE 1948 - 25 DE NOVIEMBRE DE 1974

En los tres álbumes publicados en vida, Nick Drake dio al mundo canciones de etérea belleza. El reconocimiento llegó demasiado tarde a este artista de precaria salud mental, que murió de una sobredosis a los 26 años.

Nick Drake pasó los primeros años de su vida en Birmania, donde su padre trabajaba como ingeniero. Cuando alcanzó la edad escolar, vivía en Tanworth-in-Arden (Inglaterra). Los padres de Drake tenían dotes musicales y Nick pudo dar rienda suelta a su creatividad a través del piano y la guitarra. Obtenía excelentes notas en la escuela y consiguió una plaza en la Universidad de Cambridge para estudiar filología inglesa, pero para entonces ya estaba más interesado en crecer como músico que en los estudios.

Su oportunidad pareció presentarse cuando Ashley Hutchings, de Fairport Convention, le vio tocar en las discotecas de Londres. Ello dio lugar a una reunión con el productor Joe Boyd, que también quedó deslumbrado con la música de Drake y le ayudó a negociar un contrato con Island. Los primeros frutos de aquella colaboración llegaron con el álbum *Five Leaves Left*. Richard Thompson, de Fairport Convention, y Danny Thompson, de Pentangle, se contaron entre la impresionante lista de músicos que colaboraron con él pero, como en todos los discos de Drake, lo que permanecía en el recuerdo eran la voz cautivadora, las letras introspectivas y el virtuosismo del guitarrista.

Su siguiente disco de larga duración, *Bryter Layter*, fue una colección de temas más cercanos al *jazz*, a menudo de tono más optimista, y que pese a ello fue acogido con la misma indiferencia que su debut. *Pink Moon*, grabado en solo dos días, fue una compilación menor, plagada de una desoladora melancolía. Tampoco funcionó.

«No quiero reír ni llorar. Estoy totalmente muerto por dentro.»

Si Drake hubiera tenido las tablas de su hermana actriz Gabrielle, quizá habría sabido promocionar mejor su trabajo. Un crítico, al comentar una actuación suya en el Royal Festival Hall en 1970, reconoció su talento, pero apuntó también su carencia de presencia escénica. A Drake, tímido y sensible, taciturno en el mejor de los casos, le resultaba casi insoportable actuar en locales bulliciosos donde se esperaba que compitiera con el tintineo de las copas y el charloteo.

Se refugió en casa de sus padres, un golpe más para un hombre que ya se consideraba fracasado. Drake se fue retrayendo cada vez más sobre sí mismo, y su dependencia creciente de los antidepresivos lo llevó a ingerir una sobredosis, de forma accidental o deliberada, que terminó con su vida.

La fama de Nick Drake ha crecido de forma geométrica con el paso de los años y hoy en día suscita los elogios que le fueron esquivos en vida.

Arriba: Nick Drake en Hampstead, Londres, en el verano de 1970.

Página contigua: Un momento de reflexión, en 1970. A Drake le resultaban muy incómodos los locales abarrotados de gente.

Cass Elliot

MAMA MELIFLUA
19 DE SEPTIEMBRE DE 1941 - 29 DE JULIO DE 1974

The Mamas & the Papas alcanzaron el éxito con un estilo que hacía suyo el espontáneo espíritu *hippy* de mediados de la década de 1960. La voz de Cass Elliot destacaba en las potentes armonías a cuatro voces y siguió triunfando en solitario tras la disolución del grupo.

Cass Elliot fue el nombre artístico que adoptó Ellen Naomi Cohen, nacida en Baltimore pero criada en Washington, D.C. Después de dejar la escuela, Cass se propuso hacer carrera de actriz y alcanzó cierto éxito. De los musicales pasó a la escena folk, primero con The Triumvirate y después con The Big 3 tras un cambio de sus integrantes. En 1964 cantaba con The Mugwumps,

un cuarteto en cuyas filas se hallaba Denny Doherty. Para entonces ya se la conocía como *Mama*.

Cass fue la última pieza encajada en el puzzle de The Mamas & the Papas. En 1965 el dúo formado por el matrimonio de John y Michelle Phillips actuaba ya con Doherty; cuando Cass se reunió con ellos en las islas Vírgenes, el grupo se completó. La convulsa historia de la banda fue relatada más tarde en *Creeque Alley*, que se colocó entre los 10 primeros puestos ambos lados del Atlántico.

Tras firmar con el sello Dunhill de Lou Adler, The Mamas & the Papas irrumpieron en las listas de éxitos con *California Dreaming* y *Monday Monday*. Este último tema alcanzó el primer puesto en Estados Unidos y les valió un Grammy. El sello distintivo de folk *rock* del grupo consiguió triunfar en las listas de éxitos con *I Saw Her Again* y una adaptación de *Dedicated to the One I Love* de The Shirelles. Fuera de los escenarios, las relaciones entre los cuatro eran menos armoniosas y, en 1968, estaba ansiosa por liberarse de las ataduras que suponía su pertenencia a la banda. Su versión de *Dream a Little Dream of Me* le dio al grupo su último éxito y lanzó su carrera en solitario.

Canciones como *It's Getting Better* y *Make Your Own Kind of Music*, las presentaciones en cabarés y televisión –incluyendo sus propios programas especiales en horario de mayor audiencia– probaron que Cass tenía carisma

«Cuando escuché cómo cantábamos juntos por primera vez supe que eso era lo que buscábamos.»

suficiente para triunfar en solitario. Ninguno de los otros integrantes de la banda disfrutó de un éxito semejante, aunque fuera efímero. Acababa de cumplir con dos semanas de llenos completos en el London Palladium cuando murió de un infarto a la edad de 32 años.

Abajo: The Mamas & the Papas (de izquierda a derecha): Denny Doherty, Mama Cass Elliot, Michelle Phillips y John Phillips.

Página contigua: Cass se pasea ante la cámara en una grabación promocional para su programa especial de televisión Don't Call Me Mama Anymore *en septiembre de 1973.*

Marvin Gaye

EL PRÍNCIPE DE MOTOWN
2 DE ABRIL DE 1939 - 1 DE ABRIL DE 1984

La mezcla de R&B y pop de Marvin Gaye llegó a simbolizar lo mejor del «sonido Motown». Más tarde pasó a una forma intensamente personal de crítica social con la que redefinió la fuerza creativa de la música *soul* y, finalmente, a canciones sensuales que celebraban la atracción sexual.

Nacido en Washington, D.C., Marvin Pentz Gay hijo –añadió la «e» posteriormente– era hijo de un pastor de una estricta orden religiosa. Se esperaba que el joven Gaye siguiera los pasos de su autoritario padre en la iglesia, pero su madre le animó a desarrollar sus dotes musicales. Dotado de un amplio registro vocal que abarcaba tres estilos (un falsete atiplado, una suave voz de tenor de rango medio y el gruñido profundo de un cantante de góspel) Gaye formó parte de varios grupos antes de firmar con Motown. Su primer éxito

importante, *Pride & Joy*, llegó en 1963; a partir de entonces disfrutó de un éxito creciente, pese a sentirse poco satisfecho con el material que interpretaba.

En 1967 Gaye se asoció con Tammi Terrell con gran éxito; a finales de ese mismo año, sin embargo, ella se desmayó en sus brazos en el escenario y se le diagnosticó un tumor cerebral. Muy afectado, Gaye llegó a plantearse

Izquierda: Diana Ross posa con Marvin Gaye en 1973.

Arriba: Marvin Gaye posa en un ciclomotor, hacia 1967.

Página contigua: Gaye sostiene su premio por Sexual Healing en la entrega de los Grammy de 1983.

«Si no puedes hallar la paz en ti mismo, nunca la encontrarás en ningún lugar.»

el suicidio y se negó a subirse a los escenarios tras la muerte de Tammi en 1970. Ese año colaboró en *What's Going On*, pero Motown se negó en un primer momento a publicarlo, pues temía que su postura política opuesta a la guerra de Vietnam provocase reacciones negativas. Cuando por fin salió a la venta rápidamente encabezó las listas; Gaye produjo el siguiente álbum, *What's Going On*, una colección de canciones con influencias del *jazz* inspiradas en la vida de los barrios urbanos negros de Estados Unidos que se convirtió en el trabajo más significativo de su carrera. Grababa su voz en dos o tres pistas para conseguir una rica armonía, una técnica que empleó durante el resto de su trayectoria.

Más tarde Gaye sustituyó la crítica social por la sensualidad y publicó *Let's Get It On* en 1973, después de lo cual fue presionado a embarcarse de mala gana en una gira. A finales de la década de 1970, con una adicción creciente a la cocaína y muy endeudado con el fisco, abandonó Estados Unidos para exiliarse en Europa, donde escribió *Sexual Healing*, canción que ocupó el primer puesto de las listas durante 10 semanas y obtuvo dos premios Grammy. A su vuelta a Los Ángeles, Gaye se trasladó a casa de sus padres para tomarse un respiro del mundo de la música, pero durante una pelea familiar, Marvin padre disparó a su hijo y lo mató.

Andy Gibb

EL CUARTO BEE GEE
5 DE MARZO DE 1958 - 10 DE MARZO DE 1988

A finales de la década de 1970, Andy Gibb eclipsó el éxito de sus tres hermanos mayores convirtiéndose en el primer artista varón que encabezaba la lista Hot 100 de *Billboard*.

El año en el que nació Andy Gibb su familia trasladó su residencia del noroeste de Inglaterra a Australia, donde sus hermanos mayores Barry, Robin y Maurice dejaron su impronta en el mundo del pop. Cuando celebraba su décimo aniversario, los Bee Gees ya encabezaban las listas de éxitos en el Reino Unido. Aprendió a tocar la guitarra y tenía una voz con el característico timbre de los Gibb. Su belleza de ídolo adolescente tampoco le perjudicó excesivamente.

Se curtió actuando en discotecas de Ibiza y de la isla de Man, lugares en los que residió su familia a principios de la década de 1970. De vuelta a su tierra, Gibb se apuntó su primer éxito con *Words and Music*, publicado con el sello ATA. El año 1976 le trajo un matrimonio que solo duró dos años pero resultó ser un punto de inflexión en lo profesional, pues firmó con Robert Stigwood, el empresario del mundo del espectáculo que había encumbrado a los Bee Gees. *I Just Want To Be Your Everything*, el primer sencillo de Gibb para el sello RSO de Stigwood, arrasó en las listas de éxitos de Estados Unidos. Se posicionó en los puestos inferiores de los 40 éxitos principales del Reino Unido, señal temprana de que su popularidad se circunscribiría mayoritariamente a Estados Unidos.

(Love is) Thicker Than Water —escrita en colaboración con Barry— alcanzó el primer puesto en 1978, destronando el *Stayin' Alive* de los Bee Gees. Siguió *Shadow Dancing*, el tema que dio título a su disco más vendido, mientras *An Everlasting Love* se coló entre los 10 éxitos principales a ambos lados del Atlántico. Con *(Our Love) Don't Throw It All Away*, otro disco que vendió más de un millón de copias, significó que Gibb tuvo cuatro sencillos entre los 100 más vendidos de Estados Unidos en 1978.

> «Nada hay comparable a la respuesta instantánea que obtiene un cantante de la gente sentada frente a él.»

Izquierda: Andy Gibb con su novia, la actriz Victoria Principal, hacia 1982.

Arriba: Con sus hermanos Barry, Robin y Maurice en los Billboard Music Awards de 1977.

Página contigua: Andy Gibb fue el menor de cinco hijos. Los famosos hermanos tenían una hermana, Lesley.

Cantó a dúo con Olivia Newton-John en *I Can't Help It*, y con su novia de entonces, Victoria Principal, en una interpretación de *All I Have To Do Is Dream*. También mostró su versatilidad al interpretar en un escenario *Pirates of Penzance* y *Joseph and the Amazing Technicolor Dreamcoat*. El hecho de presentar el programa de televisión *Solid Gold* pareció ser una prueba más de que sabría adaptarse finalmente a la música disco.

Pero su adicción a la cocaína hacía de él una persona imprevisible, perdió su trabajo en la televisión y su papel principal en Broadway, en el musical *Joseph* después de haberse ausentado sin permiso con demasiada frecuencia. Los éxitos también se agotaron y en 1987 se declaró en quiebra. Gibb estaba intentando reactivar su carrera musical en 1987 cuando murió de miocarditis cinco días después de celebrar su 30 aniversario.

Jimi Hendrix

GUITARRISTA INCOMPARABLE
27 DE NOVIEMBRE DE 1942 - 18 DE SEPTIEMBRE DE 1970

Jimi Hendrix fue un talento desconocido en su Estados Unidos natal, telonero habitual de artistas de mayor renombre antes de cruzar el Atlántico y convertirse en uno de los más grandes.

Nacido con el nombre de Johnny Allen Hendrix, su padre le dio el nuevo nombre de James Marshall; siendo todavía un desconocido en el circuito de locales se hizo llamar Jimmy James, y finalmente adoptó el alias *Jimi* cuando se hallaba a las puertas de la fama. Los cambios son pertinentes para alguien cuya vida puede dividirse en varias fases diferentes. Jimi fue el dios del *rock* capaz de dejar boquiabiertos a músicos como Jeff Beck y Eric Clapton con su estilo. Un cuarto de siglo antes, Johnny Allen Hendrix crecía en Seattle, donde su padre trabajaba como jardinero. El chico

zurdo aprendió solo a tocar la guitarra, habiendo conseguido una para diestros que tocaba poniéndola al revés. Una sensibilidad natural para tocar el instrumento y un buen oído le ayudaron en su desarrollo. «Tienes que saber mucho más

Abajo: The Jimi Hendrix Experience. De izquierda a derecha: Noel Redding, Jimi Hendrix y Mitch Mitchell posan para un retrato del grupo en marzo de 1967 en Hamburgo (Alemania).

Página contigua: Hendrix en plena actuación en el escenario tocando su guitarra blanca Fender Stratocaster.

que los detalles técnicos de las notas —dijo en una ocasión—. Se debe conocer lo que va entre las notas.» Nunca aprendió a leer partituras ni a escribirlas.

Influido por leyendas del *blues* como Robert Johnson y Howlin' Wolf, Hendrix abandonó la escuela a temprana edad y colaboró con varias bandas de R&B antes de alistarse en 1961. Un año más tarde formaba parte como paracaidista de la 101.ª División Aerotransportada. Después de obtener su licencia por invalidez en 1962, empezó a trabajar como músico de sesión y de acompañamiento para artistas como Little Richard, los Isley Brothers y Curtis Mayfield. En 1966 estaba afincado en Nueva York; un día del mes de julio, mientras tocaba en una discoteca del Greenwich Village, la suerte de Hendrix tomó un giro significativo. Ya lideraba su banda de soporte Blue Flames como Jimmy James, cuando Hendrix captó la atención de Chas Chandler, el bajista de The Animals. Este sabía que había presenciado algo especial y dos meses después llevó a Hendrix a Inglaterra para proporcionarle la plataforma que su talento merecía.

Con Noel Redding al bajo y Mitch Mitchell a la batería, el trío de The Jimi Hendrix Experience debutó en Francia en octubre de 1966. Los entendidos de la escena musical sabían de Hendrix incluso antes de la publicación de su primer sencillo, *Hey Joe*. Por una parte estaba su voz, que a él le parecía mediocre, aunque sus fans se permitieran disentir;

estaba también su aspecto, el pelo rizado, el bigote, el aura de estrella del *rock* de la generación *flower power*. Pero sobre todo destacaba su forma de tocar la guitarra. Marcaba el ritmo y dirigía el grupo, punteaba las cuerdas con los dientes, giraba su Fender Stratocaster y se la colocaba en la espalda, e incluso se aficionó a prenderle fuego. Los sonidos que era capaz de producir, utilizando retroacción, distorsión y varios efectos, como el pedal *wah-wah* de reciente creación, lo hicieron inigualable.

Los siguientes sencillos, *Purple Haze*, *The Wind Cries Mary* y la versión del *All Along The Watchtower* de Dylan se situaron entre los 10 primeros puestos en el Reino Unido. El último de ellos le dio su único tema entre los 20 primeros puestos de su país natal. Su primer LP, *Are You Experienced*, salió en mayo de 1967, alcanzó el número dos en el Reino Unido y permaneció en las listas de éxitos durante 33 semanas.

> «Me siento culpable cuando la gente dice que soy el mejor en la escena musical. No me importa lo bueno ni lo malo, sino sentir y no sentir.»

Hendrix volvió a Estados Unidos como una estrella y causó enorme revuelo en el Festival Pop de Monterey en junio de 1967. Su actuación incluyó una brillante versión de *Wild Thing* y la pirotecnia habitual. The Experience acompañó a The Monkees en su gira de aquel verano, en uno de los emparejamientos musicales más improbables que se recuerdan. En enero del año siguiente, Hendrix emprendió una larga gira por Estados Unidos para promocionarsu segundo álbum, *Axis: Bold as Love*, que alcanzó los 10 primeros puestos a ambos lados del Atlántico.Comenzaba a cansarse de las extravagantes exhibiciones que se esperaban de él y a resquebrajarse por dentro.

El último álbum del grupo, *Electric Ladyland*, era doble e incluía algunas contribuciones de artistas invitados, como Steve Winwood. The Experience realizó su última actuación en junio de 1969, aunque Mitchell siguió a bordo de una formación que clausuró el Festival Woodstock dos meses después. Ese fue el espectáculo donde hizo su famosa interpretación del himno de Estados Unidos, *The Star-Spangled Banner*.

Hendrix formó Band of Gypsys, un grupo negro que sobrevivió el tiempo justo para publicar un álbum epónimo, y después comenzó a trabajar en un nuevo proyecto, *First Rays of the New Rising Sun*, que no apareció hasta 1997. Murió dos semanas después de actuar en el Festival de la Isla de Wight, en el piso londinense de su novia Monika Danneman. Se asfixió en su propio vómito.

Voodoo Chile otorgó a Jimi Hendrix un número uno póstumo, el mismo puesto que ocupa en el panteón de los guitarristas de *rock* según sus numerosos fans y compañeros guitarristas.

Página contigua, abajo: Hendrix y Mitchell en un estudio de grabación en octubre de 1968.

Página contigua, arriba: Hendrix actúa durante el Festival de Woodstock, agosto de 1969.

Derecha: Con la presencia de Hendrix confirmada en el Festival de la Isla de Wight de 1970, artistas como Chicago, The Doors, The Who, Joan Baez y Free no dejaron pasar la oportunidad de tocar allí.

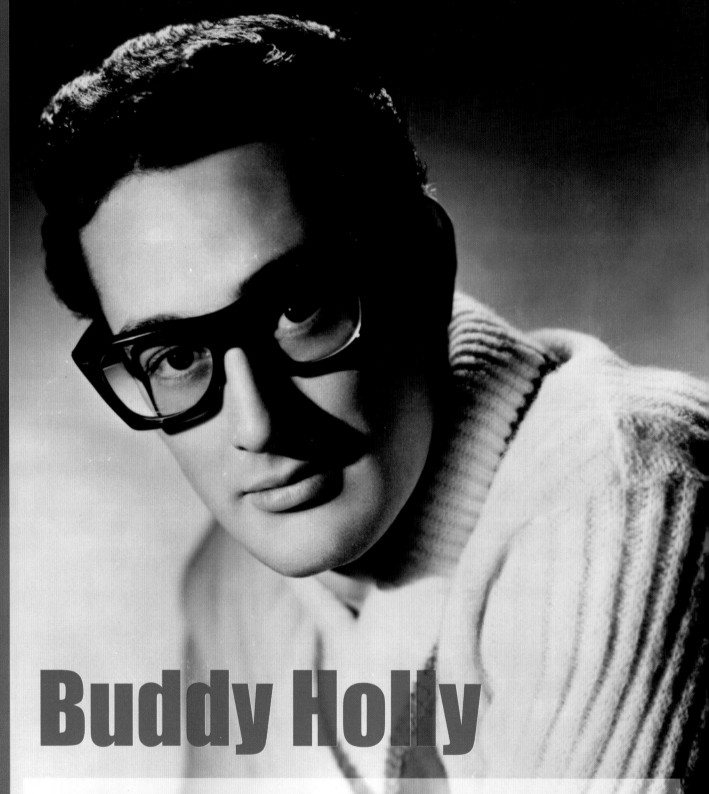

Buddy Holly

PIONERO DEL ROCK Y DEL POP
7 DE SEPTIEMBRE DE 1936 - 3 DE FEBRERO DE 1959

Buddy Holly fue una fulgurante estrella discográfica durante tan solo dos años, aunque influyó a toda una generación de artistas. Paul McCartney compró el catálogo de Holly y apoyó un festival anual que le rendía homenaje y, en *American Pie*, Don McLean describe el prematuro fallecimiento de Holly como «el día en el que murió la música».

Charles Hardin Holley nació y creció en Lubbock (Texas). El apodo Buddy pronto quedó establecido en el núcleo familiar, mientras la «e» de su apellido se omitió por descuido mucho más tarde (fue resultado de un error de transcripción en un contrato discográfico). Tocaba un repertorio dominado por el *country* y el *bluegrass*, pero todo eso cambió cuando Elvis irrumpió en escena. Holly había visto el futuro: el *rock* y la guitarra eléctrica.

Descubierto por Decca después de editar un par de sencillos de estilo *country* que tuvieron un éxito escaso, Holly se dirigió al estudio independiente que Norman Petty dirigía en Nuevo México. Allí, en febrero de 1957, grabó una creación suya, *That'll Be the Day*, título tomado del latiguillo de John Wayne en su recién estrenada película del oeste *Centauros del desierto*. Con Petty como representante, Jerry Allison com batería y Joe B. Mauldin como bajista, el éxito estaba a la vuelta de la esquina.

That'll Be the Day encabezó las listas a ambos lados del Atlántico y en septiembre de 1957 el sencillo *Peggy Sue* se estrenó en la radio. Era un sonido fresco y vibrante. Gracias a sus gafas, el líder de la banda no tenía el aspecto típico de una estrella de pop y su voz –con su hipido característico– era igualmente inconfundible. *Oh Boy, Maybe Baby* y *Rave On* se situaron entre los 40 primeros puestos en Estados Unidos y entre los 10 primeros en el Reino Unido. Holly también tuvo tiempo para casarse con María Elena Santiago. Se afiancaron en la Gran Manzana, separándose

de The Crickets y de Petty, pero *Heartbeat* demostró que Holly podía triunfar sin sus acompañantes habituales.

Con por un nuevo grupo, en el que figuraba un desconocido Waylon Jennings al bajo, Holly se lanzó a una gira de tres semanas por el Medio Oeste en enero de 1959. El cartel anunciaba también a Ritchie Valens y Big Bopper, quienes, después de actuar en Clear Lake (Iowa), despegaron, junto con Holly, del aeropuerto de Mason City en un vuelo chárter en un monoplano Beechcraft Bonanza. Se dirigían a Dakota del Norte, pero el avión se estrelló poco después de despegar y no hubo supervivientes.

Holly tuvo un número uno póstumo con un tema escrito por Paul Anka, *It Doesn't Matter Anymore*, mientras el primero de numerosos LP recopilatorios, *The Buddy Holly Story*, entró en las listas de éxitos, donde permaneció durante tres años.

«Nos gusta este tipo de música. El jazz solo es para amas de casa.»

Página contigua: Charles Hardin Holley, Nueva York, 1958.

Arriba: Buddy Holly y The Crickets. De izquierda a derecha: Joe B. Mauldin, Buddy Holly, Jerry Allison y Niki Sullivan, 1958.

Izquierda: Buddy Holly y Ed Sullivan, 1957.

Whitney Houston

UNA DIVA DIVINA
9 DE AGOSTO DE 1963 - 11 DE FEBRERO DE 2012

Nacida en el seno de una familia de cantantes de primera fila, Whitney Houston se ganó un lugar en el firmamento del pop por méritos propios. Obtuvo numerosos premios y batió récords al vender más de 170 millones de sencillos y álbumes.

Originaria de Nueva Jersey, Whitney Houston hizo sus pinitos en el góspel antes de embarcarse en el mundo del pop, como hicieran su prima Dionne Warwick y su madrina Aretha Franklin. De adolescente le hizo los coros a su madre, Cissy (cantante de góspel con una larga trayectoria a sus espaldas), y a otros artistas como Chaka Khan, hasta que en 1983 firmó con la discográfica Arista Records.

Clive Davis, el fundador de Arista, cuidó a su joven estrella entre algodones y trabajó con los mejores letristas y productores para componer el álbum de debut que llevaba su nombre y se editó en 1985. La eclosión se hizo esperar, pero al cabo de un año ocupaba el primer puesto de las listas de Estados Unidos. Para entonces, Houston ya había conseguido su primer número uno con *Saving All My Love for You*. El álbum le valió el primero de sus seis premios Grammy, además de copar las listas con los sencillos *How Will I Know* y *Greatest Love of All*, entre otros. Con *Whitney*, su segundo álbum, se convirtió en la primera mujer que accedía directamente al número uno en las listas de ventas de Estados Unidos. El disco incluía los éxitos internacionales *I Want to Dance with Somebody*, *So Emotional* y *Where Do Broken Hearts Go*, que logró siete números uno consecutivos y batió el récord de números uno compartido por los Beatles y los Bee Gees. Los éxitos continuaron con su LP de 1990 *I'm Your Baby Tonight*, pero su consagración definitiva le llegaría dos años después, cuando debutó en la gran pantalla con *El guardaespaldas*. Su versión del *I Will Always Love You* de Dolly Parton ocupó el primer puesto durante

«Dios me dio una voz para cantar, y con eso no puede haber trampa ni cartón.»

14 semanas en la lista de la *Billboard* y la banda sonora fue una de las más vendidas de todos los tiempos.

Los tormentosos 15 años de matrimonio con el cantante Bobby Brown empañaron el carisma de Houston. Un comportamiento cada vez más caprichoso, sumado a conciertos poco satisfactorios y bastantes cancelaciones, hicieron saltar todas las alarmas sobre una drogodependencia que la artista terminó por admitir. Su físico se resintió y la adicción causó estragos en su extraordinaria y melodiosa voz: durante la gira mundial que siguió al lanzamiento de su álbum de 2009 *I Look to You*, la estrella de otros tiempos ofreció actuaciones indignas de su inmenso talento. Whitney Houston falleció en la habitación de un hotel de Los Ángeles poco antes de actuar en una fiesta previa a los Grammy organizada por Clive Davis, el faro que había guiado su fulgurante carrera. Tenía 48 años.

Abajo: Whitney Houston canta con Dionne Warwick en 2011.
Página contigua: Houston presenta My Love Is Your Love *en 1998.*

Michael Hutchence

REY DEL ROCK AUSTRALIANO
22 DE ENERO DE 1960 - 22 DE NOVIEMBRE DE 1997

Michael Hutchence lideró la banda de *rock* de más éxito en Australia. A su interpretación vocal se sumaba un magnetismo animal y una salvaje sexualidad que iluminaba las actuaciones en directo de INXS y que les permitió irrumpir en las listas de éxitos de la década de 1980.

Michael Hutchence nació en Sydney pero pasó la mayor parte de su infancia en Hong Kong, donde su padre tenía intereses comerciales. A su vuelta a Sydney a los 12 años, trabó amistad con Andrew Farriss, con el que establecería una productiva colaboración musical. Farriss era mejor instrumentista, mientras Hutchence mostraba facilidad de lenguaje en sus creaciones poéticas. Hubo un paréntesis en su relación cuando los padres de Michael se divorciaron y él se fue a vivir a California con su madre, que era

> **«La fama hace que me sienta deseado y cualquiera quiere experimentar esa sensación.»**

maquilladora. Cuando regresó, retomó el contacto con Farriss y la música se convirtió en su principal interés. El bajista Garry Beers se les sumó y, más tarde, los hermanos de Farriss, Tim y Jon, se unieron a la banda junto con el guitarrista y saxofonista Kirk Pengilly.

Se iniciaron como The Farriss Brothers. En 1980 la banda, rebautizada INXS, consiguió un contrato de grabación y destacó con sencillos como *Just Keep Walking* y los álbumes *Underneath the Colours* y *Shabooh Shoobah*. Este último incluía *The One Thing*, que funcionó bien en Estados Unidos, aunque su primer gran éxito nacional llegó en 1986 de la mano de *What You Need*. El álbum de 1987 *Kick* fue un éxito gigantesco, al producir el sencillo *Need You Tonight*, que triunfó en todo el mundo.

Hutchence diversificó su actividad actuando en las películas *Dogs in Space* y *El regreso de Frankenstein*, pero en la década de 1990, a medida que la popularidad del grupo parecía decaer, su vida privada adquirió protagonismo. Entre sus romances más sonados estuvieron Helena Christensen y la diva del pop Kylie Minogue. Su relación con la figura de la televisión británica Paula Yates provocó el divorcio de esta y una agria lucha por la custodia de sus hijos con su marido Bob Geldof, que se intensificó aún más cuando dio a luz a la hija de Hutchence en 1996. Incluso con un nuevo álbum, y con

Izquierda: Retrato del grupo en el estudio de INXS. De izquierda a derecha: Kirk Pengilly, Michael Hutchence, Jon Farriss, Garry Beer; Tim Farriss, Andrew Farriss, hacia 1983.

Página contigua: En el escenario en San José (California), 1994.

Tarantino llamando a su puerta, se dijo que estaba profundamente deprimido por las prolongadas discusiones y el ataque de los tabloides provocados por el divorcio. Los problemas no se resolvieron cuando encontraron a Hutchence ahorcado en una habitación de hotel de Sydney. El juez de instrucción dictaminó un suicidio bajo los efectos de drogas y alcohol. Las circunstancias de su muerte llevaron a algunos expertos –y al propio Yates– a concluir que pudo haber sido víctima de una asfixia autoerótica.

Michael Jackson

REY DEL POP
29 DE AGOSTO DE 1958 - 25 DE JUNIO DE 2009

Michael Jackson emprendió el camino hacia el superestrellato cuando la mayoría de los niños comienzan a ir a la escuela. Lideró The Jackson 5 y se labró una carrera como solista con un éxito increíble, pero su vida personal fue menos afortunada. Su excentricidad fue de dominio público, pero sus legiones de fans prefieren recordar su música y sus deslumbrantes actuaciones.

Michael era el séptimo de los nueve niños de Joe y Katherine Jackson. Creció en Gary (Indiana) y fue en el circuito de talentos local donde cinco de los hermanos comenzaron a hacerse un nombre a mediados de la década de 1960. Jackie, Tito, Jermaine y Marlon fueron los otros integrantes del grupo que acabó llamándose The Jackson 5, pero pronto quedó claro que solo había un candidato a

Abajo: The Jackson 5 mueven el esqueleto en el programa especial de Bob Hope en 1973. Michael ya tenía problemas para sobrellevar la adulación inherente a su condición de estrella destacada del grupo.

Página contigua: Jackson parece relajado frente a las cámaras en Londres en 1983.

cantante solista. La mano de Joe empuñó el timón con firmeza. En su momento había abrigado ambiciones musicales propias y era muy estricto y exigente. Los chicos hicieron sus primeras grabaciones con el pequeño sello local Steeltown, y firmaron con Motown en 1968. Con el apoyo de la bien engrasada organización de Berry Gordy y de algunos de los mejores compositores que tenía en nómina, The Jackson 5 pusieron rumbo al éxito. *I Want You Back*, publicada en octubre de 1969, subió hasta la cima de la lista de éxitos, seguida por *ABC*, *The Love You Save* y *I'll Be There*, que fue el sencillo más vendido de 1970 en Estados Unidos y el mayor éxito del grupo. Con 11 años, Michael, se convirtió en el cantante más joven en tener un disco número uno.

Off the Wall incluyó *Don't Stop 'Til You Get Enough, She's Out of My Life* y *Rock With You*, escrita por Rod Temperton. El ex integrante de Heatwave escribiría algunos de los mayores éxitos de Jackson, incluido el tema que dio título a su siguiente álbum, *Thriller*, que encabezó las listas de éxitos de Estados Unidos durante 37 semanas, puso siete temas entre los 10 más vendidos y se alzó con siete premios Grammy para convertirse en el álbum más vendido de todos los tiempos. El vídeo dirigido por John Landis también abrió nuevos caminos para la incipiente generación MTV.

Arriba: Michael luce su característico guante en una actuación de la gira «Victory» de 1984.

Derecha: Retratado en la última etapa de la gira del álbum Bad de 1988, que recaudó la cifra récord de 125 millones de dólares.

Su carrera como solista comenzó en 1971 con *Got To Be There* y consiguió su primer número uno el año siguiente con *Ben*, una insólita balada para una mascota: una rata. Como deseaban un mayor control creativo, los hermanos firmaron con Epic en 1976, rebautizándose como The Jacksons, pues Motown ostentaba la propiedad jurídica de su nombre anterior. Canciones como *Enjoy Yourself* tuvieron buenas ventas y *Show You the Way to Go* les proporcionó su único número uno en el Reino Unido. No fue sino hasta la aparición de su tercer álbum con Epic, *Destiny*, cuando tuvieron oportunidad de producir sus trabajos. De aquel álbum salieron los clásicos de la música disco *Shake Your Body Down to the Ground* y *Blame it on the Boogie*. Michael empezó a dar cada vez más prioridad a su trabajo en solitario, pero continuaba actuando con sus hermanos como un favor con el que mantener con vida la carrera del grupo; la suya propia estaba a punto de pasar a un plano superior.

En el escenario de *El mago*, una producción con actores negros de *El mago de Oz* en la que Michael hacía el papel de espantapájaros, Jackson trabó amistad con Quincy Jones, el director musical del filme. A lo largo de la década siguiente ambos colaboraron en tres álbumes excepcionales.

Lisa Marie Presley le siguieron unos escabrosos cargos por conducta indecorosa con un adolescente. El caso no llegó a ir a juicio, pero el acuerdo económico alcanzado despertó muchas suspicacias. Una década después se desestimaron unas acusaciones parecidas; para entonces Jackson ya era padre de tres hijos. Dos eran producto de otro breve matrimonio, mientras la identidad de la mujer que gestó a Prince Michael Jackson II no fue desvelada.

Los cuatro meses de juicio le afectaron profundamente y Jackson no gozaba de buena salud. Su adicción a los analgésicos pudo tener su origen en las quemaduras de segundo grado que sufrió mientras grababa un anuncio de Pepsi-Cola en 1984. Algunas personas de su entorno pensaron que no sería capaz de ofrecer las actuaciones planificadas para el verano de 2009, una opinión trágicamente corroborada cuando sufrió un colapso en su casa de California el 25 de junio. Cuando apareció en Londres en el mes de marzo para anunciar los conciertos en el O2 Arena Jackson dijo: «Esta es la última llamada a escena», proféticas palabras que se harían realidad tres meses más tarde.

> **«Mi meta en la vida es dar al mundo lo que he tenido la suerte de recibir: el éxtasis de la unión divina a través de mi música y mi baile.»**

Jackson dio a conocer su *moonwalk* en 1983 y su costumbre de agarrarse la entrepierna y llevar un solo guante hizo a sus conciertos tan memorables visualmente como lo eran musicalmente. *Bad* nunca podría compararse con *Thriller*, pero aún así generó cinco números uno en Estados Unidos tras su publicación en 1987, todo un récord.

En la década de 1990 conoció el éxito con menor frecuencia y fue el estilo de vida de Jackson lo que centró el interés de la prensa. Hubo una insólita colección de mascotas, una casa con un parque de atracciones incorporado y un alarmante cambio de aspecto, que achacó a una extraña enfermedad dermatológica. A un breve matrimonio con

Arriba, izquierda: Jackson con Lisa Marie Presley. La pareja se casó en mayo de 1994, pero el matrimonio fue breve y terminó en agosto de 1996.

Arriba, derecha: Jackson interpreta un número en la celebración de su 30 aniversario como artista en solitario en 2001.

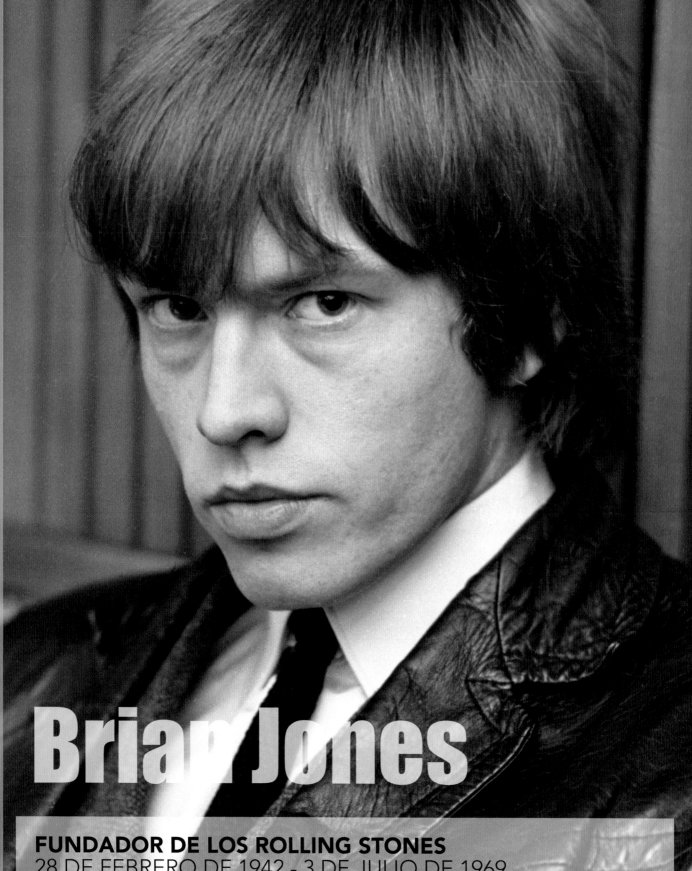

Brian Jones

FUNDADOR DE LOS ROLLING STONES
28 DE FEBRERO DE 1942 - 3 DE JULIO DE 1969

Multiinstrumentista y líder de *facto* de los Rolling Stones durante los primeros años del grupo, Brian Jones se fue marginando cada vez más a medida que transcurría la década y murió poco después de abandonar el grupo en 1969.

Brian Jones creció en el seno de una familia de clase media en Cheltenham (Gloucestershire). Durante su adolescencia apareció su vena rebelde y prefirió trabajar a ir a la universidad. La función de auxiliar administrativo en el departamento de arquitectura de un ayuntamiento local no resultó estimulante para un joven inquieto que buscaba orientación e inspiración. Halló ambas cosas después de un encuentro fortuito con Alexis Korner, que invitó a Jones a visitarle si iba a Londres. En 1961 Korner había formado Blues Incorporated, con Charlie Watts en la batería, y un año después abrió el Ealing R&B Club, que se convirtió en un lugar muy frecuentado por los fans del *blues*. Jones se incorporó pronto a ese círculo, al igual que Mick Jagger y Keith Richards.

En los primeros tiempos se anunciaba como Elmo Lewis, un guiño a la leyenda de la *slide guitar* Elmore James. Captó la atención de Jagger y Richards después de ser artista invitado en la banda de Korner. En la primavera de 1962 los tres formaron los Rolling Stones, nombre tomado de una canción de Muddy Waters. Hubo algunos cambios en la formación antes de que Watts y el bajista Bill

Wyman se sumaran a la formación para completar el quinteto original que firmó con Decca y debutó con una versión de *Come On* de Chuck Berry en junio de 1963.

El llamativo Jones tocaba varios instrumentos en un grupo que consiguió siete números uno en las listas británicas. *Not Fade Away* les concedió su primer éxito entre los 10 primeros puestos de Estados Unidos, donde (*I Can't Get No) Satisfaction* fue el sencillo más vendido en 1965.

La llegada de Andrew Loog Oldham como representante menoscabó la función de Jones, así como la colaboración de Jagger-Richards en la composición. Jones se hizo cada vez más dependiente de las drogas y del alcohol.

Un mes después de abandonar el grupo en junio de 1969, Brian Jones se ahogó mientras nadaba a medianoche en la piscina de su casa de Sussex. Los Stones, con su nuevo fichaje Mick Taylor incluido, tocaron en Hyde Park 48 horas después en lo que se convirtió en un concierto conmemorativo. Jagger leyó el poema de Shelley *Adonais* y se soltaron 3.000 mariposas blancas. La revista *Rolling Stone* proporcionó su propio epitafio: «Si Keith y Mick eran la mente y el cuerpo de los Stones, Brian era sin duda el alma».

«Hemos aparecido con un tipo de música muy salvaje, cuando todo hasta ahora era más bien melódico.»

Abajo, izquierda: Los Rolling Stones en 1964. De izquierda a derecha: Bill Wyman, Charlie Watts, Keith Richards, Mick Jagger y Brian Jones.

Abajo, derecha: Jones con Anita Pallenberg en 1966.

Página contigua: Jones, reacio a sonreír frente a la cámara en 1963.

Janis Joplin

DIOSA DEL ROCK
19 DE ENERO DE 1943 - 4 DE OCTUBRE DE 1970

Janis Joplin era una chica blanca que cantaba el *blues* con un estilo singular, una criatura salvaje del *rock* cuyos excesos igualaban los de sus homólogos varones. Su estrella se apagó apenas tres años después de la interpretación que la llevó a la fama en el Festival Internacional de Pop de Monterey.

Janis Joplin sentía poco apego a su localidad nativa de Port Arthur (Texas). Fue una inadaptada en el colegio que buscó refugio en el *blues*. Habiendo experimentado la soledad y el desconsuelo, le resultó fácil conectar con la música de Leadbelly, Bessie Smith y demás por el estilo. Joplin comenzó a cantar en bares durante su estancia en la Universidad de Texas y se dirigió a California en 1963, feliz de dejar atrás sus primeros 20 años. Vertería mucho del sufrimiento de esos primeros años en la canción *Little Girl Blue*.

> *«No consigo hablar de mi canto pues estoy dentro de él. ¿Cómo puedes describir algo en cuyo interior te encuentras?»*

Joplin se sentía cómoda en la escena bohemia *beatnik* del barrio de Haight-Ashbury en San Francisco, el epicentro de la contracultura *hippy*. Allí se ganaba la vida a duras penas cantando en el circuito local a cambio de cervezas o pasando el sombrero. En 1966 cantaba con Big Brother and the Holding Company, cuya gran oportunidad llegó en Monterey el siguiente verano. La actuación de Joplin, incluida una interpretación de *Ball and Chain* de Big Mama Thornton, cautivó a la multitud y pronto atrajo la atención mediática sobre la estrella del grupo. Big Brother cerró un acuerdo con Albert Grossman, el representante de Dylan, firmó con Columbia, y en agosto de 1968 se anunció a bombo y platillo la publicación de su álbum *Cheap Thrills*. Las ventas por adelantado del disco, que incluía otro clásico de Joplin, *Piece of My Heart*, bastaron para garantizar un disco de oro.

A finales de año, las tensiones internas se desbordaron y Joplin dejó al grupo para formar The Kozmic Blues Band. Ese conjunto permaneció unido lo justo para sacar el álbum *I Got Dem Ol' Kozmic Blues Again Mama!*

Arriba y página contigua: Cantante, autora de canciones, bailarina y arreglista, Janis Joplin cobró protagonismo a finales de la década de 1960 como vocalista de Big Brother and the Holding Company.

Joplin siguió avanzando para liderar The Full Tilt Boogie Band en 1970, banda con la que grabó su LP más conocido, *Pearl*. En él figuraban *Me and Bobby McGee*, de Kris Kristofferson, que le dio un éxito póstumo en la lista de sencillos, y un tema cantado sin acompañamiento que quedaría indisolublemente unido a su persona: *Mercedes-Benz*.

La vida privada de Joplin estaba fuera de control. En Woodstock en 1969 se retrasó la hora de su actuación a fin de darle tiempo para recuperarse de un cóctel de bebida y drogas. El trabajo de *Pearl* estaba casi completo cuando sucumbió a su último chute. El veredicto oficial sobre la causa de su muerte, acaecida a la edad de 27 años, fue el de sobredosis accidental de heroína.

John Lennon

HÉROE DE LA CLASE OBRERA
9 DE OCTUBRE DE 1940 - 8 DE DICIEMBRE DE 1980

Como mitad del genio creativo detrás de los Beatles, John Lennon fue una figura destacada en el mapa cultural, autor de una plétora de temas geniales y abanderado de la generación de paz y amor.

John Winston Lennon nació en tiempos convulsos: su ciudad natal de Liverpool fue sometida cada noche a los ataques aéreos con los que la Luftwaffe pretendía inutilizar uno de los puertos clave del país. Su padre, Freddie, era marino mercante, ausente durante largos periodos, pero no el irresponsable que abandona a su familia como se ha dicho a menudo en las biografías de Lennon. Julia, su madre comenzó una relación con un nuevo amante al que no le entusiasmaba criar al hijo de otro hombre. Así, la custodia de John recayó en los acogedores brazos de la hermana de su madre –su adorada tía Mimi– y desde los cinco años disfrutó de una estable y contenta infancia en un bucólico barrio de las afueras de Liverpool. Durante su adolescencia John mantuvo un contacto regular con Julia, quien alentó su interés en la música y le enseñó algunos acordes de banjo. Cuando le dio por el *skiffle*, ella le compró una guitarra. Julia murió en julio de 1958, atropellada por un coche cuando iba de camino a su casa después de visitar a Mimi. A los 17 años John había perdido a su madre por segunda vez.

En la Quarry Bank School John mostró su vena rebelde: antes que pasar por el aro académico prefería pasar el tiempo garabateando, entregado a sus ensoñaciones surrealistas y a los versos absurdos. Su indudable talento necesitaba una válvula de escape, que llegó en la forma del *rock*. «Nada me conmovió de verdad hasta Elvis», dijo. Como una infinidad de adolescentes, John formó una banda y el 6 de julio de 1957, en una actuación en la fiesta de un pueblo, tuvo lugar la histórica reunión con Paul

Derecha: John, Paul, George y Ringo participaron en The Morecambe and Wise Show en diciembre de 1963.

Página contigua: John fotografiado en 1964. El año 1963 había sido un año más que excepcional para los Beatles pero a principios de 1964 estaban listos para lanzarse al escenario internacional.

McCartney. Este último amenazaba el liderazgo de Lennon dentro del grupo, pero sus dotes podían impulsar a The Quarrymen. Comenzaba así la simbiosis creativa entre ambos que haría de su catálogo el producto más valioso del sector. Poco tiempo después Ringo completó la alineación y *Love Me Do* dio a los Beatles su primer éxito en las listas en otoño de 1962. John y Paul decidieron que todas sus composiciones llevarían el sello Lennon-McCartney, tanto si eran obras conjuntas o habían sido creadas en solitario.

John y Paul demostraron ser unos consumados maestros de la canción pop y en los tres minutos de cada canción conseguían combinar una melodía pegadiza. *Please Please Me*, *She Loves You* y *I Want to Hold Your Hand* fueron algunos de los enormes éxitos que irrumpieron en las listas y extasiaron a sus fans. Pero, al haber alcanzado «the toppermost of the poppermost» (algo así como lo más alto de lo más pop), tal como John describía su búsqueda de fama y fortuna, pronto se cansó de las canciones estereotipadas y la adulación. Ni su matrimonio con Cynthia ni la paternidad le satisfacían. Las canciones de Lennon se hicieron introspectivas y llenas de confesiones –*Help!* era una súplica descarnada, así como un pegadizo tema para un filme. Su comentario de que los Beatles eran «más populares que Jesús» provocó una violenta reacción en las áreas cristianas más conservadoras de Estados Unidos, lo que convirtió en una incómoda experiencia su última gira en el verano de 1966. Freddie, su padre, dio señales de vida, pero era difícil romper con los fantasmas de su infancia. Posteriormente John se sometería a la terapia del «grito primigenio» para abordar

«Si todo el mundo pidiera la paz en lugar de otro televisor, habría paz.»

Give Peace a Chance publicada con la Plastic Ono Band, triunfaba en las listas, una indicación de lo que estaba por venir antes de que se confirmara la desintegración de los Beatles. John y Yoko aparecían en los titulares mediáticos encamados y con su *bagism* (que sugería la idea de estar totalmente encerrado en una bolsa). El monumental *Imagine* mostraba que las nuevas grabaciones no debían ser monopolizadas por los *collages* de sonidos vanguardistas.

En 1971, John y Yoko decidieron instalarse en Nueva York, ciudad que parecía ofrecer más libertad. Lennon volvió a la edad dorada del *rock* en busca de inspiración, pero la música pasó a un segundo plano durante cinco años después del nacimiento de su hijo Sean en 1975. Se convirtió en el padre atento que la *beatlemanía* le había impedido ser con Julian, su primer hijo. Lennon volvió con *Double Fantasy* en 1980, publicado un mes antes de ser abatido a tiros fuera del edificio de apartamentos Dakota, donde residía. Su asesino, Mark Chapman, de 25 años, tenía antecedentes de enfermedad mental. No intentó huir de la justicia, se declaró culpable y fue condenado a una pena de 20 años en prisión.

Página contigua: Los Beatles tomaron Nueva York al asalto en 1964.

Arriba: En 1966 Lennon interpretó el papel del soldado raso Gripweed en la comedia negra de Dick Lester Cómo gané la guerra.

Derecha: John y Yoko asisten a la primera exposición de arte de John, 1968.

los problemas derivados de su profundamente arraigada sensación de abandono.

Temas como *Strawberry Fields Forever*, *I Am the Walrus* y *Lucy in the Sky with Diamonds* muestran la evolución de Lennon como compositor. Si McCartney era el maestro de la melodía, él era el mago de la palabra: su cáustico ingenio verbal resulta evidente tanto en los dos volúmenes que publicó –*In His Own Write* (1964) y *A Spaniard in the Works* (1965)– como en sus letras.

Hubo consumo de estupefacientes y alcohol, y un devaneo con la meditación trascendental, pues John deseaba dar más sentido a su vida. Este llegó de la mano de la artista conceptual japonesa Yoko Ono, a la que describía como «yo vestido de mujer». Se casaron en 1969, cuando la icónica

Bob Marley

SUPERESTRELLA DEL REGGAE
6 DE FEBRERO DE 1945 - 11 DE MAYO 1981

Como líder de los Wailers, Bob Marley se anotó numerosos éxitos en Jamaica antes de alcanzar la fama mundial en la década de 1970. Ningún otro artista del Tercer Mundo había tenido semejante impacto en la escena musical.

Nesta Robert Marley nació en la parroquia de Saint Ann, en Jamaica, hijo del capitán del ejército británico Norval Marley y la jamaicana Cedella Malcolm. El matrimonio pronto zozobró. Norval mantuvo escaso contacto con Bob y Cedella volvió a casarse y se trasladó a Wilmington (Delaware). Antes de emigrar tuvo una hija con Taddeus Livingston, cuyo hijo, apodado *Bunny*, compartía las ambiciones musicales de Bob.

En 1963 crearon los primeros Wailers, junto con Peter Tosh, Junior Braithwaite, Beverley Kelso y Cherry Smith. Marley ya había editado un par de discos que tuvieron escaso éxito. Las cosas mejoraron cuando grabaron con el sello Studio One de Clement *Sir Coxsone* Dodd, y temas como *Simmer Down* y *It Hurts to Be Alone* los colocaron en el mapa local.

En 1966 Kelso, Smith y Braithwaite ya se habían marchado, mientras que Marley se casó con Rita Anderson, futura corista de los Wailers. El éxito en Jamaica les reportó escasos beneficios materiales. Marley tuvo una serie de trabajos manuales, incluido un periodo en la cadena de montaje de Chrysler durante su visita a su madre.

Hubo un fecundo periodo de colaboración con el productor Lee *Scratch* Perry y los hermanos Barrett, Aston y Carlton, dúo que mejoró la sección rítmica de los Wailers. Pero el gran paso adelante vino cuando el grupo firmó con Island Records en 1972. Su álbum de debut, *Catch a Fire*, se vendió bastante bien, mientras que el siguiente, *Burnin'*, fue impulsado por una versión del *I Shot the Sheriff* de Clapton. El siguiente LP, *Natty Dread*, produjo el sencillo *No Woman No Cry*, todo un éxito. Los admiradores del grupo eran cada vez más numerosos y Marley se consagró como un artista de primera fila. *Exodus*, *Kaya* y *Survival* lograron excepcionales ventas en todo el mundo, mientras *Jamming*, *One Love* y *Could You Be Loved* se sumaron a la lista triunfal de éxitos.

«No te limites a bailar al son de la música, escucha mis palabras.»

En la cima de su fama Marley fue víctima del cáncer. Poco antes de su muerte fue galardonado con la Orden del Mérito de Jamaica, habiendo ya recibido la Medalla de la Paz del Tercer Mundo otorgada por la ONU.

La vida y el trabajo de Marley se guiaban por su compromiso con el movimiento rastafari, y sus canciones expresaban los problemas de los necesitados y los oprimidos. Sigue viviendo a través de su música, especialmente a través de su álbum recopilatorio de 1984, *Legend*, múltiple disco de platino y de lejos el álbum de *reggae* de más éxito comercial de la historia.

Izquierda: Bob y los primeros Wailers fotografiados en Jamaica en 1972. De izquierda a derecha: Bunny Wailer, Bob Marley, Carlton Barrett, Peter Tosh y Aston Barrett alias Family Man.

Abajo: Marley en Los Ángeles durante la gira «Survival», en 1979.

Página contigua: Marley en el Crystal Palace de Londres, en 1980.

Freddie Mercury

EL GRAN SHOWMAN DEL ROCK
5 DE SEPTIEMBRE DE 1946 - 24 DE NOVIEMBRE DE 1991

Freddie Mercury, el extravagante líder de Queen durante dos décadas, fue la voz de una serie de éxitos mundiales. Sus teatrales entradas a escena con manto de armiño y corona imprimían un sello majestuoso a su señorial arte escénico.

Farrokh Bulsara nació en Zanzíbar (Tanzania), donde su padre era contable del Estado. Pasó sus primeros años en la India, donde estuvo interno cerca de Bombai y adoptó el apodo de *Freddie*. Tomó lecciones de piano y formó una banda pero, al comenzar su adolescencia, la familia se trasladó de nuevo. Preocupados por el clima político, sus padres, de origen persa, se mudaron a Feltham (Middlesex).

Brian May era una estrella en ciernes, guitarrista consumado en las bandas 1984 y Smile. El bajista Tim Staffell también tocaba en ambas; Roger Taylor, estudiante de odontología, era el batería de Smile. Fue Staffell quien introdujo a Mercury en el círculo del grupo. Ambos asistían al Ealing College, donde Freddie comenzó un curso de arte y diseño gráfico en 1966. Al principio, Mercury no era más

que un amigo de los miembros de la banda, pero opinaba que Smile necesitaba más dinamismo. Tenía muy claro que la fama le aguardaba y estaba seguro de que podía proporcionar a Smile el estilo del que carecía. El grupo resistió sus tentativas de meterse a la fuerza en su número y en 1969 el trío logró firmar con Mercury Records. Freddie reaccionó uniéndose a un grupo del noroeste, pero mantuvieron el contacto. Freddie volvió a la capital, Smile se disolvió tras rescindir Mercury su contrato y Staffell abandonó el grupo. Al fin Freddie se asoció con May y Taylor, con los que había

Abajo: Queen posa en 1976. De izquierda a derecha: Roger Taylor, Freddie Mercury, Brian May y John Deacon.

Página contigua: Mercury actúa en «Live Aid», en 1985.

llevado un tenderete de arte y moda en el mercado de Kensington para completar sus ingresos.

La propensión de Freddie a la extravagancia llevando boas de plumas y las uñas pintadas causaba escaso asombro. Tenía una novia formal y su sexualidad no era tema de discusión cuando Queen –el nombre que eligió para el nuevo conjunto– subió por vez primera a un escenario en 1970. Ese mismo año, Freddie Bulsara se convirtió en Freddie Mercury.

La pérdida de Staffell dejó un puesto para un bajista. Tras un par de experimentos fallidos, John Deacon se aseguró el puesto en febrero de 1971. La formación que revolucionaría las listas de éxitos estaba completa. Queen firmó con EMI a principios de 1973, año en el que publicaron un primer álbum epónimo y el sencillo compuesto por May

Keep Yourself Alive. *Seven Seas Of Rhye*, de Mercury, les dio el primer éxito de los 19 que lograron situar entre los 10 primeros puestos del Reino Unido, un tema extraído del álbum *Queen II* que, a su vez, se colocó entre los cinco más vendidos. Los cuatro integrantes del grupo aportaban composiciones al repertorio de la banda, pero fue *Killer Queen*, también de Freddie, la que les dio su siguiente sencillo de éxito, número dos en el Reino Unido. *Sheer Heart Attack*,

«Siempre supe que era una estrella y ahora el resto del mundo parece darme la razón.»

Arriba: Brian May y Freddie Mercury sobre el escenario en Australia, 1985.

Derecha: Mercury con Mary Austin. Austin y Mercury tuvieron una relación durante la década de 1970 y siguieron siendo amigos íntimos hasta la muerte de Mercury.

Página contigua: Mercury canta en Chicago, 1980.

el disco del que se extrajo el tema, igualó ese resultado en las listas y aquel doble éxito permitió a la banda darse a conocer en Estados Unidos.

Queen volvió a alcanzar la cima con la publicación en 1975 de *Bohemian Rhapsody*, compuesta por Mercury. A la gente de EMI le preocupaba sacar una canción con una duración de siete minutos y un prolongado interludio operístico. Gracias al rodaje de un vídeo que rompió moldes y fue emitido repetidamente por televisión, la canción se situó en el número uno durante nueve semanas. Formaba parte de *A Night at the Opera*, el primer disco de Queen en ocupar el puesto más alto de las listas de ventas.

Mercury compuso también *Somebody to Love*, el himno *We Are the Champions* y *Don't Stop Me Now*, y se atrevió con la guitarra rítmica en *Crazy Little Thing Called Love*. En 1981 actuó frente a una multitud récord de 130.000 personas en São Paulo (Brasil), y cantó a dúo con Bowie en *Under Pressure*, otro número uno. Para muchos, la actuación de Queen fue lo más destacado del concierto «Live Aid» de 1985, con un Mercury pletórico y

exuberante. El año siguiente ofrecieron su último espectáculo en directo en Knebworth.

Freddie se reinventó en la década de 1980: su nueva imagen incluía el bigote, el pelo corto y un mayor desarrollo muscular. Publicó su primer sencillo en solitario en 1984 y disfrutó de sus mayores éxitos lejos de Queen con *The Great Pretender* y su dúo con Montserrat Caballé, *Barcelona*, que se colaron entre el los 10 primeros puestos del Reino Unido.

En el terreno privado, Mercury se enganchó a la cocaína y tras romper con su novia mantuvo un promiscuo estilo de vida gay durante muchos años. En 1987 se le diagnosticó el sida. Freddie se dejó crecer la barba y recurrió a una gruesa capa de maquillaje para intentar ocultar los estragos de la enfermedad, pero su aspecto demacrado en el vídeo de *I Want It All* de 1989 desató los rumores. El comunicado oficial relativo a su enfermedad llegó a tan solo 24 horas de su muerte. *These Are the Days of Our Lives* fue publicada un mes más tarde en un sencillo que incluía también *Bohemian Rhapsody*. Alcanzó el número uno y ganó el premio de la British Phonographic Industry como mejor sencillo del año. El año 1995 vio la publicación de *Made in Heaven*, un álbum que contenía material grabado por Mercury durante las últimas fases de su enfermedad.

Keith Moon

BATERÍA LEGENDARIO
23 DE AGOSTO DE 1946 - 7 DE SEPTIEMBRE DE 1978

Keith Moon era el exuberante batería de The Who. Con su excéntrica personalidad se convirtió en la personificación del lado más hedonista del *rock*. Convirtió los excesos, el alcohol y las drogas en un estilo de vida, y encarnó mejor que nadie las tendencias autodestructivas del *rock*.

Moon, cuyo nombre completo era Keith John Moon, nació en Londres y comenzó su carrera musical tocando la corneta y la trompeta en los cadetes de la marina, pero a los 13 años se pasó al bombo. En 1961 compró su primera batería, una Premier de color azul nacarado, y comenzó a practicar por su cuenta así como a tomar lecciones de la mano del batería Carlo Little, de Screaming Lord Sutch and the Savages. Moon comenzó como batería de la banda londinense The Beachcombers, pero con 17 años la dejó para unirse a The Who.

Moon era un batería tan enérgico que su equipo estaba sujeto al escenario con cuerdas. Tocaba con una salvaje despreocupación que muchos describieron como lunática y en sus primeros conciertos él y el guitarrista Pete Townshend acababan destruyendo sus instrumentos de distintas y elaboradas formas a la conclusión del espectáculo, lo que atrajo la atención de la prensa. Moon aportaba la base del sonido de The Who, que les diferenciaba de otras bandas de *rock*. Era un bromista empedernido, que hacía reír a los demás durante las sesiones de

«Le dije a la gente que tocaba la batería incluso antes de tener un equipo, era batería en mi mente.»

grabación y se divertía disfrazándose, desnudándose o llegando por medios poco convencionales a sus citas. También era propenso a destrozar habitaciones de hotel, a lanzar televisores por las ventanas y a hacer estallar inodoros con explosivos, lo que llevó a la mayoría de cadenas hoteleras de todo el mundo a vetar a The Who. Circula la leyenda (probablemente apócrifa) de que en una ocasión un coche acabó dentro de una piscina.

Aunque su escandaloso estilo de vida solía hacer sombra a sus dotes, Moon está considerado uno de los grandes baterías del *rock*. Era capaz de ofrecer redobles espectaculares y flexibles, combinados con golpes salvajes en los platillos y un rápido juego de doble bombo a dos pies. También cantaba, especialmente en actuaciones en directo, y se le atribuía la composición de algunas canciones. Solo publicó un álbum en solitaio, *Two Sides of the Moon*, que no fue tomado en serio en su momento pero que ahora se considera una ilustración de su talento. Sin embargo, su caótico estilo de vida pronto le pasó factura; durante la gira de 1973 se desmayó sobre el escenario después de haber ingerido una dosis masiva de tranquilizantes y alcohol. Moon acabó muriendo de una sobredosis de sedantes, recetados para aliviar los síntomas de abstinencia del alcohol cuando más esfuerzos hacía para desintoxicarse.

Derecha, arriba (de izquierda a derecha): Roger Daltrey, John Entwistle, Keith Moon y Pete Townshend en 1970.

Derecha, abajo: Moon y David Essex posan juntos durante el rodaje la película That'll Be the Day *en 1973.*

Página contigua: Keith Moon fotografiado en 1965.

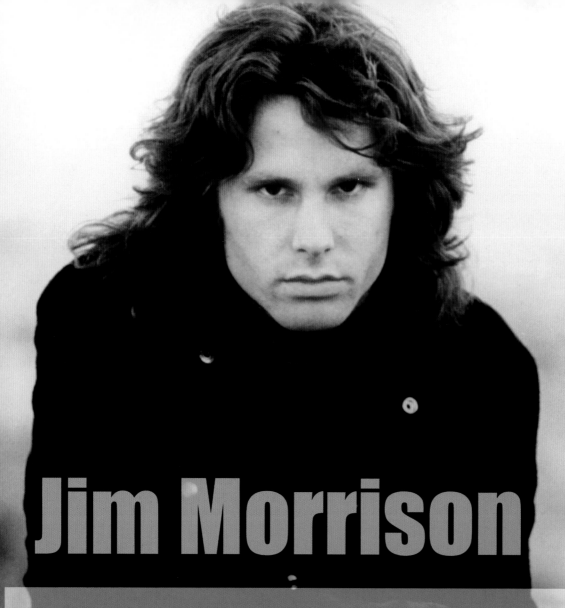

Jim Morrison

ICONO DEL ROCK
8 DE DICIEMBRE DE 1943 - 3 DE JULIO DE 1971

Jim Morrison, vocalista de The Doors, sigue siendo considerado la estrella de *rock* absoluta. Como letrista se ha convertido en uno de los escritores más prestigiosos de la historia del *rock* y las canciones de The Doors siguen muy presentes en las emisoras de *rock* clásico.

James Douglas Morrison nació en Florida, aunque como su padre era miembro de la marina de Estados Unidos, la familia Morrison llevó la vida nómada habitual en los militares. El joven Morrison era muy inteligente y, a pesar de las frecuentes interrupciones en su formación, mostró interés por la literatura, la poesía y la filosofía, especialmente por las obras de Jack Kerouac, Friedrich Nietzsche, William Blake, Charles Baudelaire y del poeta simbolista francés Arthur Rimbaud. Después de licenciarse en la escuela de cine de la Universidad de California en 1965, Morrison rompió el contacto

con su familia y comenzó a llevar una tranquila existencia en Venice Beach, escribiendo letras de canciones e ingiriendo LSD. Con Ray Manzarek, un amigo de la Universidad de California, también formó The Doors; a Morrison se le ocurrió el nombre después de leer el ensayo de Aldous Huxley acerca de sus experiencias con las drogas, *Las puertas de la percepción* (1954).

The Doors, con su combinación de *blues* y *rock*, no tardaron en convertirse en la primera banda popular *new wave*. Su álbum de debut, *The Doors*, publicado en 1967, encabezó las listas de éxitos en Estados

Unidos, aunque apenas si se hizo notar en las listas británicas. Los álbumes siguientes, *Strange Days* y *Waiting for the Sun*, proporcionaron más éxitos en Estados Unidos y *Hello I Love You* les valió un número 15 en el Reino Unido. Hacia finales de 1969, sin embargo, el comportamiento de Morrison, exacerbado por la bebida y las drogas, era cada vez más escandaloso: a menudo llegaba tarde o ebrio y fue detenido por «exhibicionismo, conducta procaz e intoxicación en público» después de haber intentado comenzar una reyerta durante un concierto en Miami. Aunque algunos cargos fueron retirados posteriormente, el escándalo dificultó a la banda actuar en directo en lo sucesivo. Morrison engordó y se dejó la barba, pero el descanso pareció estimular su creatividad; uno de los álbumes del grupo más aclamados por la crítica, *Morrison Hotel*, fue publicado en 1970.

En la primavera de 1971 Morrison se trasladó a París, donde reveló a varios reporteros que quería dejar la música para ser escritor. Pamela Courson, su compañera, a la que

Derecha: Jim Morrison y su novia Pamela Courson fotografiados en Hollywood Hills, 1969.

Abajo: The Doors: Jim Morrison (voz), Ray Manzarek (órgano), Robby Krieger (guitarra) y John Densmore (batería).

Página contigua: Jim Morrison fotografiado en Los Ángeles, 1968.

«Hay cosas sabidas y otras desconocidas y entre unas y otras están las puertas.»

había conocido antes de hacerse famoso, estaba con él en París y lo alentaba a trabajar en la poesía. Sin embargo, cuatro meses después Morrison falleció de una sobredosis accidental. Su tumba parisina se ha convertido en un santuario para las sucesivas generaciones de seguidores.

The Notorious B.I.G.

LEYENDA DEL HIP HOP
21 DE MAYO DE 1972 - 9 DE MARZO DE 1997

Uno de los grandes raperos de todos los tiempos, The Notorious B.I.G. tenía una maravillosa habilidad para contar una historia complicada de una forma gráfica y comprensible. En vida, su talento quedó eclipsado en ocasiones por la disputa que mantuvo con su antiguo colaborador Tupac Shakur, que creció hasta implicar a sus sellos discográficos, Bad Boy y Death Row, y acabó convirtiéndose en el foco de una agria rivalidad entre las costas este y oeste.

«Nunca le deseo la muerte a nadie porque de ella no se vuelve.»

Christopher Wallace nació en Brooklyn (Nueva York). Su padre pronto los abandonó pero su madre era maestra, así que la familia no era tan pobre como Wallace contaría tiempo después. Comenzó a rapear en la adolescencia, pero en 1989 dejó la escuela y se involucró en delitos, por lo que cumplió posteriormente una corta pena de prisión por tráfico de drogas. Tras su liberación hizo una maqueta, que llegó a Uptown Records a principios de 1992. El productor Sean Combs contrató a Wallace para Uptown, pero cuando inició su propio sello, Bad Boy Records, se llevó consigo a Wallace. Wallace quiso utilizar su apodo, *Biggie Smalls* —medía más de 1,80 m y pesaba más de 130 kg— como nombre artístico, pero ya estaba en uso, así que se decidió por The Notorious B.I.G.

Arriba, izquierda: The Notorious B.I.G. y Sean Combs en el Shrine Auditorium de Los Ángeles en 1997.

Arriba, derecha: En una actuación en Nueva Jersey, en 1995.

Página contigua: The Notorious B.I.G. fue famoso por sus siniestras letras semiautobiográficas y su habilidad como narrador.

En 1994 B.I.G. publicó su primer disco en solitario, *Juicy/Unbelievable*, que se situó entre los 30 primeros puestos. A este siguió *Ready to Die*, que aún funcionó mejor y llegó al número 13 en las listas de éxitos de Estados Unidos, dominadas por entonces por el *hip hop* de la costa oeste: B.I.G. fue el artista que hizo renacer el interés por el este. El año siguiente ganó algunos premios importantes, pero también se vio involucrado en una controversia pública con Tupac Shakur, que le acusó de estar implicado en un asalto en 1994 en el que le habían disparado y robado. Cuando Shakur firmó con Death Row Records, el conflicto adquirió nuevas dimensiones y derivó en un enfrentamiento generalizado entre el este y el oeste.

En 1996 Shakur fue asesinado a tiros en Las Vegas; las sospechas recayeron de inmediato sobre B.I.G., pese a que este se hallaba grabando en Nueva York en aquel momento. Un año más tarde, B.I.G. salía de una fiesta en Los Ángeles cuando su coche se detuvo en un semáforo en rojo. Otro coche se paró a su lado, se dispararon varios tiros y B.I.G. murió. Su asesinato sigue sin resolverse. Solo dejó dos álbumes publicados en vida y dos más grabados para su lanzamiento tras su muerte, pero ha llegado a ser considerado uno de los mejores raperos de *hip hop*.

Gram Parsons

ROQUERO COUNTRY CÓSMICO
5 DE NOVIEMBRE DE 1946 - 19 DE SEPTIEMBRE DE 1973

Figura de culto en vida, Gram Parsons nunca obtuvo todo el reconocimiento que sin duda mereció. Pionero del acercamiento de las bandas de *rock* a la música *country*, no vendió muchos discos, pero su trabajo influyó en gran medida sobre músicos como los Rolling Stones, Emmylou Harris y Elvis Costello.

Parsons nació con el nombre de Cecil Ingram Connor III en Winterhaven (Florida). Su madre, Avis, era hija de un magnate de los cítricos en Florida y su padre, *Coon Dog* Connor, era un famoso piloto veterano de la Segunda Guerra Mundial. A pesar de la riqueza y los privilegios, la vida en casa era desdichada –tanto su madre como su padre eran alcohólicos– y Avis sufría depresión. Cuando Parsons tenía 12 años su padre se suicidó y dos años después su madre se casó con Robert Parsons, que adoptó a Gram y a su hermana Avis. Cecil Ingram Connor se convirtió en Gram Parsons.

Parsons tocó en varios grupos cuando aún estaba en el instituto, entre ellos la banda de *rock* The Pacers, el grupo folk The Legends –con Jim Stafford y Kent Lavoie, que más tarde se hicieron famosos como Lobo– y Shiloh, también de orientación folk. El día en que se graduó del instituto, su madre murió de intoxicación etílica. Más tarde, Parsons asistió brevemente a la Universidad de Harvard para estudiar teología, pero formó la International Submarine Band,

después dejó la universidad y se trasladó a Nueva York para desarrollar su sonido de *rock* con influencias *country*. En Los Ángeles la banda grabó un álbum de debut, *Safe at Home*, pero ya se habían separado cuando fue publicado.

> ## «Simplemente no me gusta la etiqueta de rock country... Es música. Ya sea buena o mala.»

Arriba, izquierda: El influyente Parsons creó lo que llamó «música cósmica norteamericana».

Arriba, derecha: The Flying Burrito Brothers con el bajista Chris Ethridge y Sneaky Pete Kleinow a la guitarra de acero con pedal, en 1969.

Página contigua: Parsons estudió en Harvard tras una infancia acomodada, pero infeliz.

En 1968 Parsons se unió a The Byrds e influyó en *Sweetheart of the Rodeo*, el único álbum de *country* del grupo y un clásico en la actualidad. Dejó a The Byrds después de pocos meses y formó The Flying Burrito Brothers, con los que grabó *Gilded Palace of Sin*. El álbum vendió pocas copias, pero reportó a Parsons el entregado seguimiento de otros músicos. En 1970 Parsons dejó la banda y se movió en el círculo de los Rolling Stones durante la grabación de *Exile on Main Street,* mientras consumía cantidades ingentes de drogas y alcohol.

En 1972 conoció a Emmylou Harris, que hizo las armonías de su primer álbum en solitario, *GP*. Después de su publicación, Parsons recorrió Estados Unidos y grabó un segundo álbum, *Grievous Angel*, pero en 1973 –cuando estaba de vacaciones en su localidad preferida, Joshua Tree (California)– murió después de una sobredosis de tequila y morfina. Debería haber sido enterrado en Nueva Orleans, pero Phil Kaufman, el organizador de sus giras, robó el cuerpo y lo quemó en el Joshua Tree National Park, cumpliendo lo pactado con Parsons.

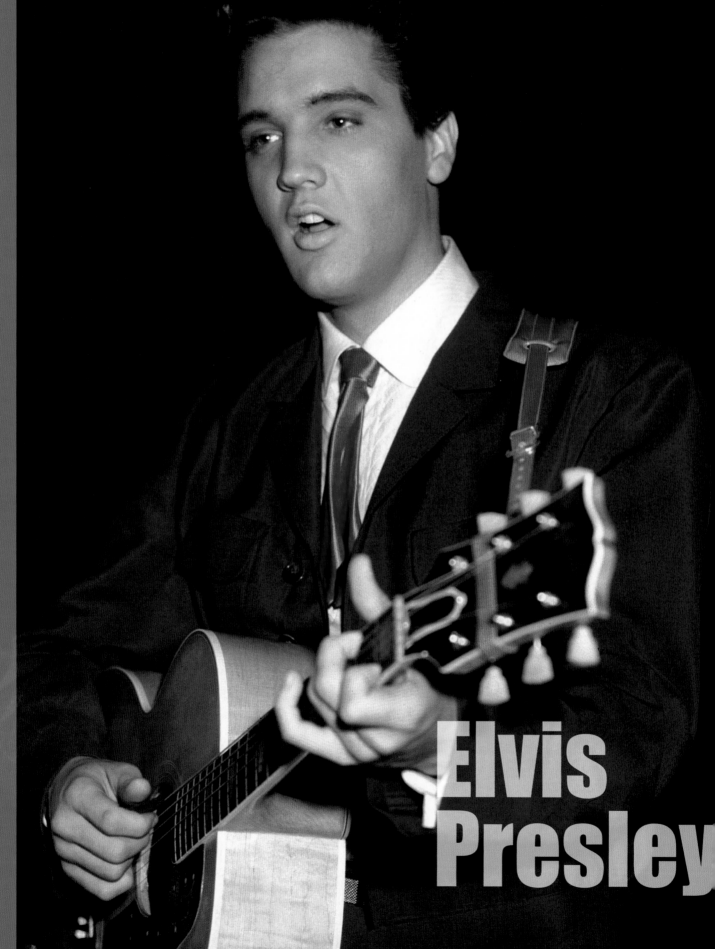

Elvis
Presley

EL REY
8 DE ENERO DE 1935 - 16 DE AGOSTO DE 1977

John Lennon habló en nombre de innumerables adolescentes de todo el mundo cuando afirmó: «Nada me había emocionado de verdad hasta que escuché a Elvis». Bill Haley y otros pueden argumentar que fueron los fundadores del *rock*, pero fue Elvis quien «cambió para siempre la faz de la cultura popular norteamericana», tal como lo expresó el presidente de Estados Unidos, Jimmy Carter, cuando supo de su muerte. El adjetivo *norteamericana* es algo superfluo en esa apología.

concurso de cantantes una década antes. Los años intermedios habían sido poco interesantes. Los Presley se habían trasladado a Memphis, donde Elvis acabó su formación. Se sentía un tanto excluido en la escuela, no obtuvo buenos resultados académicos y estaba conduciendo un camión para ganarse la vida cuando fue a los estudios Sun a grabar el disco para su madre. La directora Marion Keisker quedó tan impresionada que lo recomendó al propietario de Sun, Sam Phillips.

Phillips no estuvo de acuerdo de inmediato, pero escuchó lo suficiente como para acceder a contratar al guitarrista Scotty Moore y el bajista Bill Black, y permitir que los tres ensayaran. Fue durante la pausa en una balada en la que estaban trabajando cuando el conjunto comenzó a improvisar con *That's All Right Mama* y Phillips supo en aquel

Elvis era el mayor de dos gemelos hijos de Vernon y Gladys Presley nacidos en Tupelo (Misisipi) el 8 de enero de 1935. Su hermano no sobrevivió, lo cual sin duda ayudó a que se formara un vínculo materno-filial especial. De hecho, fue su deseo de hacerle un regalo a Gladys lo que llevó a Elvis, que contaba con 18 años, a visitar Sun Records en 1953. Pagó cuatro dólares para grabar una versión de *My Happiness*, un dólar menos que el monto del premio que había ganado en un

Arriba: Elvis interpreta a Vince Everett en El rock de la cárcel, *1957.*

Derecha: Elvis a caderazo limpio en The Milton Berle Show, *1956.*

Página contigua: El primer sencillo de Presley con RCA, Heartbreak Hotel, *fue un éxito que ocupó el primer lugar de las listas.*

momento que había encontrado algo único: un cantante blanco que sonaba como un artista negro. El tema se convirtió en el sencillo de debut de Elvis, y la centralita de la emisora de radio local ardía cada vez que emitían el tema. La reacción se repitió cuando Elvis saltó al escenario: su voluptuosa apostura, unida a su gesto arrogante y unos contoneos descaradamente sexuales, bastaban para provocar gritos frenéticos.

Fue un fenómeno localizado hasta finales de 1955, cuando apareció en escena la figura del coronel Tom Parker, que se hizo con el control de la gestión de su carrera. Negoció un cambio inmediato a RCA y, cuando la primera publicación de Elvis para el nuevo sello, *Heartbreak Hotel*, subió disparada hasta la cima de las listas de éxitos y se mantuvo allí durante ocho semanas, los 35.000 dólares pagados a Sun a

modo de compensación se antojaron el mayor chollo del siglo. El temor a que sus golpes de cadera resultasen demasiado provocadores para el gran público llevó a que se le filmase de cintura para arriba durante su actuación en el *Ed Sullivan Show*. Elvis *la Pelvis* indignaba a los padres,

«El ritmo es algo que se tiene o no se tiene, pero cuando lo tienes, lo tienes en todo tu ser.»

Arriba: *Elvis y Ann-Margret en* Viva Las Vegas, *1964.*

Derecha: *Elvis actúa ataviado de cuero negro en el programa especial con el que anunció su regreso en1968. Tuvo un gran éxito.*

Página contigua: *Elvis y Priscilla en el día de su boda, 1967.*

años, el principio de una actividad particularmente exitosa en el circuito de los cabarés. En 1969 *Suspicious Minds* le dio su primer número uno en Estados Unidos en siete años; también sería el último. Sus extravagantes atuendos revelaban un problema de peso creciente: Elvis consumía cantidades ingentes de fármacos y seguía atracándose a hamburguesas con queso. Necesitó tratamiento hospitalario en varias ocasiones antes de sufrir un paro cardiaco en su casa de Graceland el 16 de agosto de 1977. No es habitual que los líderes políticos comenten el deceso de una estrella del pop, pero Elvis Presley, el rey del *rock*, era mucho más que eso. Tal y como señaló el presidente Carter: «Su muerte priva al país de una parte de sí mismo».

sí, pero también los chicos estaban fuera de sí, aunque por motivos muy diferentes.

En la tercera publicación de Elvis con RCA, el doble sencillo *Hound Dog/Don't Be Cruel* se convirtió en el más vendido de todos los tiempos y durante 30 años nadie pudo emular sus 11 semanas en lo más alto de la lista. *All Shook Up* y *Love Me Tender* fueron algunos éxitos de aquella primera hornada, y este último también dio título a su primera película. *Jailhouse Rock*, escrita por Lieber y Stoller y tema principal de la película *El rock de la cárcel*, fue otro éxito colosal, el primer sencillo que entró directamente al número uno en el Reino Unido. Incluso se explotó su estancia de dos años en el servicio militar, con un Elvis uniformado, perfectamente rasurado y más apuesto que nunca en *G.I. Blues*. Durante su estancia en Alemania Occidental conoció a Priscilla Beaulieu, con la que se casaría cinco años después.

Tras volver a la vida civil, Elvis cambió la áspera frescura de sus primeras grabaciones por un canto más suave y moderado. Canciones como *It's Now or Never* y *Are You Lonesome Tonight?*, un tema antiguo de Jolson, fueron grandes éxitos que difícilmente podrían exasperar a los padres. Con el advenimiento de los Beatles, Gran Bretaña se convirtió en el epicentro de una nueva explosión del pop. Mientras tanto seguía rodando películas cada vez más mediocres y menos rentables. En 1968 un programa especial de televisión volvió a encumbrar a Elvis y el año siguiente actuó en su primer espectáculo en directo en Las Vegas, que duró ocho

Otis Redding

REY DEL SOUL
9 DE SEPTIEMBRE DE 1941 - 10 DE DICIEMBRE DE 1967

Ottis Redding, uno de los cantantes de *soul* más influyentes de la década de 1960, simboliza el poder del «*soul* profundo» puro y sureño. Orgulloso de sus orígenes rurales, tenía una poderosa y profunda voz, así como enormes dotes naturales para escribir canciones y hacer arreglos.

Cuando Redding comenzó su carrera a principios de la década de 1960, adoptó el estilo del Little Richard, también oriundo de Macon. Poco a poco encontró su propio y único sonido, imprimiendo un insólito ritmo sincopado tanto en las baladas como en las canciones de ritmo rápido. En 1962, mientras grababa material en Memphis para Stax Records como vocalista de Johnny Jenkins and The Pinetoppers, Redding aprovechó la oportunidad para grabar una balada que había escrito, *These Arms of Mine*, al final de la sesión. El éxito de esta fue el pistoletazo de salida para su carrera en solitario y a lo largo de los años siguientes canciones como *I've Been Loving You Too Long*, *I Can't Turn You Loose*, una versión de la canción *Satisfaction* de los Rolling Stones y *Respect* alcanzaron grandes cifras de ventas, aunque solo una llegó a estar entre las diez más vendidas.

Durante sus conciertos, Redding acostumbraba a improvisar las letras y cerrar en falso las canciones, y la intensidad de su interpretación le permitía desatar de inmediato el entusiasmo del público. Con *Try a Little Tenderness* dejó boquiabierto al público asistente al Festival Internacional de Pop en Monterey de junio de 1967, que le exigió nada menos que cuatro bises. Monterey le abrió las puertas de un público más amplio, ya que los asistentes, jóvenes y mayoritariamente blancos, quedaron prendados de él. Parecía que nada podría interponerse ya en su camino al estrellato.

«Si hace falta música para atraer la atención de estos jóvenes, eduquémosles con música.»

Seis meses después, Redding falleció en un accidente de avión de camino a un concierto en Wisconsin, junto con la mayor parte de su banda, los Bar-Kays. *(Sittin' On) The Dock of the Bay*, su canción más famosa, fue grabada tan solo cuatro días antes de su muerte. Publicada en enero de 1968, dicha canción llevó por primera vez a Redding al número uno de las listas, donde permaneció durante cuatro semanas. Se rumoreó que la canción estaba inconclusa; originalmente, el silbido del final estaba allí para indicar que vendrían más palabras. El material inédito de las últimas sesiones de grabación fue suficiente para lanzar tres álbumes más. En 2007, la viuda de Redding, Zelma, creó una fundación en nombre de su marido para motivar a la gente joven a seguir formándose a través de programas de música y de las artes, un objetivo que, según dijo, había sido el sueño de su marido.

Arriba: Otis Redding lo da todo sobre el escenario en 1967.

Izquierda: Otis Redding, Jim Stewart, Rufus Thomas, Booker T. Jones y Carla Thomas posan para un retrato tras grabar el éxito Tramp *en Stax Records, Memphis, hacia 1967.*

Página contigua: Una fotografía publicitaria de la década de 1960.

Tupac Shakur

RAPERO INFLUYENTE
16 DE JUNIO 1971 - 13 DE SEPTIEMBRE DE 1996

Ochenta millones de discos vendidos en todo el mundo convierten a Tupac Shakur en el artista de rap y *hip hop* de mayor éxito de la historia. Poeta y actor, sus textos abordaban problemas sociales, como la injusticia, la desigualdad, la pobreza y la vida en la ciudad, así como sus disputas con otros raperos. Sus canciones solían ser controvertidas, pero a menudo también infundían esperanza.

Aunque nació en el East Harlem (Nueva York), Tupac Amaru Shakur se trasladó a Marin City (California) cuando era un adolescente y no tardó en sumergirse en el ambiente de la costa oeste. Comenzó a rapear a temprana edad, formó Strictly Dope con Ray Luv y DJ Dize y después se hizo bailarín de apoyo para el grupo de rap alternativo Digital Underground. En 1991 su álbum de debut, *2Pacalypse Now*, fue aclamado por los críticos, pero también suscitó críticas por las opiniones que vertía sobre el cuerpo de policía. A lo largo de los años siguientes Shakur tuvo numerosos problemas con la ley, tanto por sus actos como por la influencia de su música.

«Soy un reflejo de la sociedad.»

En 1994 Shakur fue a juicio por agredir sexualmente a una mujer. Un día antes de ser declarado culpable le dispararon cinco veces en el vestíbulo de un estudio de grabación en Manhattan. The Notorious B.I.G. estaba trabajando en el estudio en ese momento y Shakur interpretó que su ex socio había estado involucrado en el ataque. Después de cumplir aproximadamente la cuarta parte de su sentencia por agresión sexual, Shakur salió en libertad gracias a la fianza depositada por Marion Knight, de Death Row Records, a cambio de que firmara con su sello. La animadversión entre Shakur y B.I.G. se convirtió rápidamente en una contienda entre la costa este y oeste.

Hacia el final de la década de 1990 Shakur estaba planeando dedicarse a escribir guiones y dirigir películas y había formado su propia productora, Euphanasia. Proyectaba organizar conciertos que serían gratuitos para los estudiantes con buenas notas y se estaba implicando

Izquierda: Tupac Shakur y MC Hammer asisten a los American Music Awards en 1996.

Página contigua: Shakur fotografiado sobre el escenario en Chicago, 1994.

en proyectos para construir centros sociales y deportivos para chicos de barrios marginados. También estaba trabajando en un proyecto con el que esperaba poner fin al conflicto entre las costas este y oeste.

En septiembre de 1996 Shakur asistió al combate de boxeo entre Tyson y Seldon en el MGM Grand en Las Vegas. Al salir del combate, su coche se detuvo en un cruce y pocos instantes después le alcanzaron los disparos efectuados desde un coche en marcha. Murió seis días después en el hospital. Había publicado cinco álbumes en vida y dejó suficiente material pregrabado para muchos discos más.

Ritchie Valens

PRIMER ROQUERO LATINO
13 DE MAYO DE 1941 - 3 DE FEBRERO DE 1959

A pesar de su brevísima carrera, Ritchie Valens dejó una impronta duradera en el *rock* con *La Bamba*, una adaptación de enérgico ritmo de un tradicional huapango mexicano cantado totalmente en español. Valens le imprimió un nuevo giro, añadiendo *riffs* de *rock* garajero y un solo salvaje y vehemente. El resultado: el nacimiento del *rock* latino y dos minutos clásicos de *rock*.

Ricardo Esteban Valenzuela Reyes nació en Pacoima (Los Ángeles) y creció rodeado de música mexicana tradicional y de grupos vocales negros de R&B. A los nueve años le dieron su primera guitarra y pronto mostró considerables dotes para tocar, cantar y componer canciones. En 1956 se unió a la orquesta de baile The Silhouettes, donde le escuchó Bob Keane, presidente de Del-Fi Records, que firmó con él un contrato de grabación, acortó su nombre a Valens y añadió la «t» a Richie. El sencillo de debut de Valens, la composición original *Come On, Let's Go*, vendió 750.000 copias y condujo a una corta gira por Estados Unidos. De vuelta al estudio

Arriba: La carrera discográfica de Valens, pionero del rock, solo duró ocho meses.

Derecha: Valens con Bob Keane, presidente de Del-Fi Records.

Página contigua: Valens posa para la famosa sesión fotográfica de la que saldría la portada de su disco. Los Ángeles, julio de 1958.

grabó una canción escrita para su novia del instituto, Donna Ludwig; *Donna* se convirtió en la cara A de su siguiente publicación en octubre de 1958, con *La Bamba* en la cara B. *Donna*, una balada de amor adolescente clásica, alcanzó el número dos en las listas de éxitos; la fama de *La Bamba* llegaría más tarde, gracias a sus rápidos guitarreos y al uso de un instrumento relativamente reciente: el bajo eléctrico.

> ## «Mis sueños son rock puro.»
> ### de La Bamba

En enero de 1959 Ritchie fue contratado para la malograda gira «Winter Dance Party» junto a Buddy Holly y J. P. *The Big Bopper* Richardson. Durante una agotadora serie de actuaciones de una noche, el autobús de la gira tuvo problemas con la calefacción y el batería de Holly tuvo que ser ingresado con síntomas de congelación. Después

de una actuación en Iowa todos estaban cansados y ateridos, así que Buddy alquiló una avioneta para llevarle a él y a sus músicos Waylon Jennings y Tommy Allsup a la siguiente actuación en Minnesota. Jennings cedió su asiento a Richardson, que tenía fiebre, y Valens apostó a cara o cruz con Allsup para ganar su asiento. El avión despegó en medio de una cegadora tormenta de nieve, pero solo unos minutos después del despegue cayó en picado,

matando a todos los que estaban a bordo. Valens dejó una pequeña, pero inspiradora, colección de material grabado y su leyenda creció durante los años posteriores a su muerte, culminando en 1987 con el filme *La Bamba*, una versión dramatizada de su breve vida y estrellato. Al mismo tiempo el grupo Lobos grabó su propia versión de *La Bamba*, que encabezó las listas de éxitos en Estados Unidos.

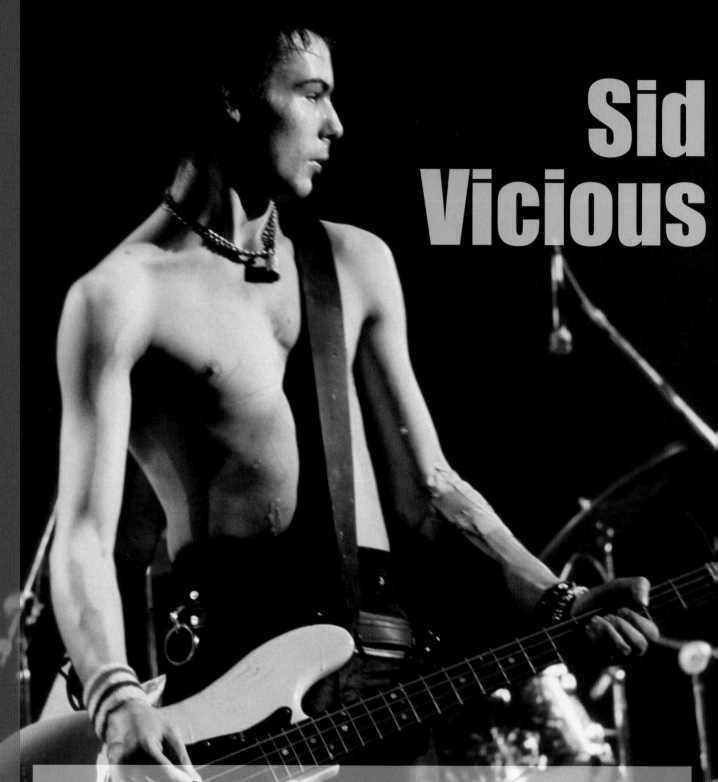

Sid Vicious

ENCARNACIÓN DEL PUNK
10 DE MAYO DE 1957 - 2 DE FEBRERO DE 1979

Pese a ser el bajista de los Sex Pistols, Sid Vicious no sabía tocar el bajo: fue contratado por su carisma y su icónica imagen punk más que por su musicalidad. En un principio intentó aprender, pero ser un Sex Pistol pronto se convirtió en algo más relacionado con la provocación y el escándalo que con la música. La banda hacía honor a su imagen pública.

Vicious, cuyo nombre real era John Simon Ritchie, había nacido en Lewisham (Londres); pasó a ser John Beverley cuando su madre volvió a casarse. En la escuela de Bellas Artes conoció a John Lydon (alias *Johnny Rotten*), que lo rebautizó como Sid Vicious, en parte por Syd Barrett (ex guitarrista de Pink Floyd) y en parte por su hamster, Sid; el roedor había mordido a su amigo, que exclamó: «Sid is really vicious!» (¡Qué mala leche se gasta Sid!). Frecuentaban la tienda de Vivienne Westwood en Kings Road y cuando Malcolm McLaren comenzó a representar a los Swankers y estaba buscando a un vocalista, Westwood le sugirió que le hiciera una prueba a aquel chico llamado John que frecuentaba la tienda. Se refería a Vicious, pero McLaren se acercó a Rotten y lo contrató como líder de los recientemebte rebautizados Sex Pistols. Sin embargo, cuando el bajista original se marchó en 1977, Vicious ocupó su lugar. De manera insospechada, los Sex Pistols canalizaron los sentimientos de la juventud de la década: el punk era un medio de expresión personal y creativo, una llamada a dejar de quejarse y actuar. Lamentablemente,

«Moriré antes de los 25 y, cuando fallezca, habré vivido como quería hacerlo.»

Arriba, izquierda: Los Sex Pistols en el Longhorn Ballroom de Dallas, durante su última gira en enero de 1978. De izquierda a derecha: Sid Vicious, Steve Jones, John Lydon (alias Johnny Rotten).

Arriba, derecha: Sid y su novia Nancy Spungen en 1978.

Página contigua: Sid Vicious en el último concierto de los Sex Pistols. San Francisco (California), enero de 1978.

formar parte de todo aquello tuvo un efecto devastador en Vicious.

Más tarde, en 1977, Vicious conoció a Nancy Spungen, *groupie*, drogadicta y neoyorquina. Se cree que ella fue quien lo inició en la heroína; posteriormente, Rotten contó: «Hicimos de todo para deshacernos de Nancy [...] Estaba totalmente convencido de que aquella chica se había propuesto suicidarse poco a poco [...] Solo que no quería irse sola. Deseaba llevarse a Sid consigo». Pero Vicious estaba enamorado y cuando los Sex Pistols acabaron por separándose durante la gira por Estados Unidos de 1978, se lanzó en solitario con Spungen como su «representante». En octubre de 1978 se despertó y la encontró muerta a puñaladas. Fue detenido por asesinato, aunque en febrero de 1979 salió en libertad bajo fianza. Durante una fiesta de celebración tomó una sobredosis de heroína y a la siguiente mañana estaba muerto. Más tarde su madre encontró en el bolsillo de Vicious lo que según ella era una nota suicida.

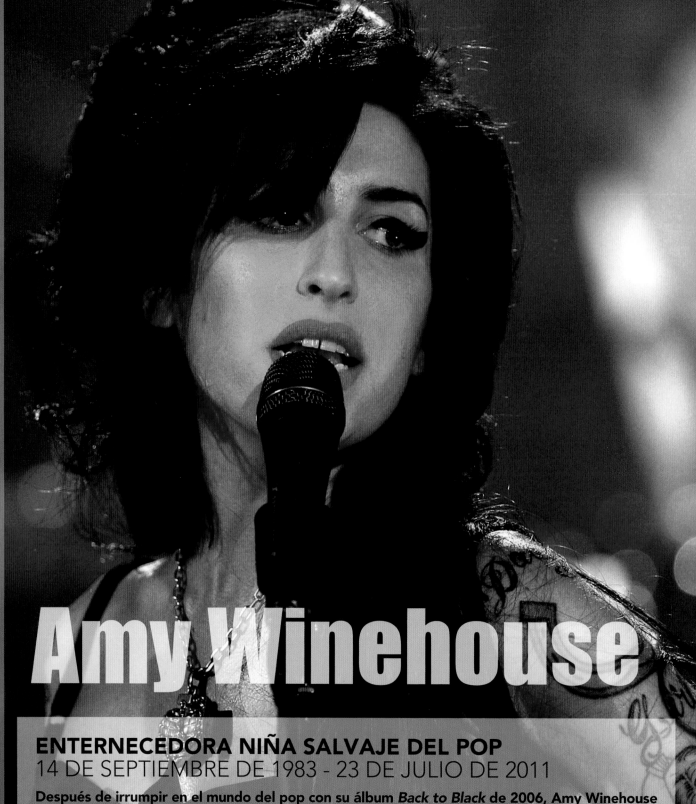

Amy Winehouse

ENTERNECEDORA NIÑA SALVAJE DEL POP
14 DE SEPTIEMBRE DE 1983 - 23 DE JULIO DE 2011

Después de irrumpir en el mundo del pop con su álbum *Back to Black* de 2006, Amy Winehouse acaparó más titulares por su adicción al alcohol y a las drogas que por su música intimista.

Amy Winehouse creció en el norte de Londres, donde se dejó hechizar por las leyendas del *jazz*, como Sarah Vaughan y Billie Holiday. Intérprete nata, ganó una plaza en la prestigiosa escuela de teatro de Sylvia Young, pero su vena inconformista le impidió completar su formación. Obtuvo mejores resultados en el ambiente más relajado de la BRIT School, donde perfeccionó su destreza con la guitarra y sus habilidades como compositora.

Cuando Amy tenía 16 años, su amigo, el cantante Tyler James, hizo circular una maqueta que le valió un acuerdo de representación con una empresa propiedad de Simon Fuller. El siguiente paso fue el contrato firmado con Island Records. Su álbum de debut de 2003, *Frank*, tuvo una buena acogida y Winehouse ganó un premio Ivor Novello por el sencillo *Stronger Than Me*. El disco también incluía *F*** Me Pumps*, una escabrosa indirecta a las cazafortunas, y *I Heard Love is Blind*, que da un repaso a la infidelidad en tono irónico.

Pasaron tres años antes de la publicación de *Back to Black*, un álbum inspirado por la ruptura con su novio Blake Fielder-Civil. Él volvió con un antiguo amor, tal como la Amy abandonada lo describe de forma conmovedora en la pista que da título al disco. Coproducido por Mark Ronson, el disco destilaba *soul* sesentero, una impresión subrayada por el llamativo peinado de colmena y los ojos enmarcados en *kohl* de la cantante. Mezclaba franqueza, provocación y vulnerabilidad en canciones como *Rehab* y *Love Is a Losing Game*; la primera narraba un intento de su representante de hacerle buscar ayuda médica para sus adicciones. Él se fue, las adicciones se quedaron.

«No he venido a ser famosa, solo quiero plantearme un reto. Si todo va mal, me quedará la música.»

Winehouse recibió cinco premios Grammy por *Back to Black*, que encabezó las listas de popularidad del Reino Unido y debutó en Estados Unidos en el número siete.

La fama y la fortuna no bastaron para detener su lento declive, como tampoco le ayudó su reconciliación con Fielder-Civil, con el que se casó en 2007 y del que se divorció dos tempestuosos años después. Sufrió una preocupante pérdida de peso y empezó a ser habitual que compareciese ebria sobre el escenario, por lo que fue necesario cancelar varios conciertos. Poco antes de que la encontraran muerta en su casa de Camden hubo que suspender su gira por Europa, puesto que resultaba evidente que no estaba en condiciones de actuar.

Con su esperado tercer álbum todavía en producción, Amy Winehouse dejó una obra breve, un puñado de canciones con letras inteligentes y sinceras cargadas de fuerza emocional e interpretadas con su inimitable estilo vocal.

Izquierda: Amy posa con su marido, Blake Fielder-Civil, en 2007.

Arriba: Amy con su padre, Mitch Winehouse, en el año 2010.

Página contigua: Winehouse actúa en los Riverside Studios durante la 50.ª edición de los premios Grammy en febrero de 2008.

Frank Zappa

GENIO EXCÉNTRICO
21 DE DICIEMBRE DE 1940 - 4 DE DICIEMBRE DE 1993

Frank Vincent Zappa fue un músico prolífico, un adicto al trabajo que a su faceta de brillante guitarrista de *rock* supo sumar también la de compositor para orquestas, innovador cineasta y productor discográfico, hombre de negocios y crítico veraz.

Zappa, nacido en Baltimore (Maryland), comenzó a tocar la batería a los 12 años, pero a los 18 se pasó a la guitarra. Músico autodidacta, de gustos múltiples y variados, se interesaba más por el sonido que por los géneros concretos y pronto desarrolló un estilo innovador.

Abandonó la universidad tras el primer curso y comenzó a componer y tocar mientras escribía y producía canciones para otros músicos. A mediados de la década de 1960 se había divorciado de su primera mujer, Kay, pero tenía un estudio de grabación con instalaciones

«Nunca me propuse ser raro. Siempre fueron otras personas las que me llamaron raro.»

para experimentar con grabaciones multipistas, algo insólito en aquella época. En 1965 la brigada antivicio local le tendió una trampa para que grabara una cinta de audio presuntamente pornográfica, que le condujo a un breve periodo en la cárcel y a perder el estudio y gran parte de su trabajo, un incidente que endureció su postura antisistema. En 1966 Zappa lideraba la banda local The Mothers, que pronto pasó a llamarse The Mothers of Invention, y comenzó a publicar una serie de discos rompedores, como *Freak Out* y *We're Only in it for the Money*. Las letras de las canciones de Zappa a menudo ofendían a grupos religiosos y políticos: era un feroz defensor de la libertad de expresión.

Zappa publicó bajo su propio nombre el inspirador álbum de *jazz fusion Hot Rats*, que contó con la memorable colaboración como vocalista de Don van Vliet, alias *Captain Beefheart*. A lo largo de la década de 1970 publicó álbumes instrumentales que incluían música para orquestas, *jazz*, sus propias improvisaciones de guitarra y, posteriormente, sintetizadores y secuenciadores. También produjo discos con temas cantados que, al igual que sus conciertos en directo, se distinguían por sus alucinantes despliegues de virtuosismo técnico.

Zappa tuvo mala salud de niño y en diciembre de 1971 una persona del público lo empujó fuera del escenario: cayó en el foso para la orquesta, sufrió graves fracturas y el aplastamiento de la laringe. Pasó seis meses en una silla de ruedas y le quedó una cojera permanente. En 1990 le diagnosticaron un cáncer muy extendido e inoperable. Antes de morir fue reconocido como compositor de música seria cuando figuró en el Festival de Fráncfort de 1992; el Ensemble Modern interpretó *Shark Suite* con dos conciertos dirigidos por el propio Zappa. Tras su muerte, su viuda Gail, con la que se había casado en 1967, publicó un escueto comunicado en el que decía: «El compositor Frank Zappa partió hacia su última gira poco antes de las seis de la tarde del sábado».

Derecha, arriba: Frank Zappa con su mujer Gail y su hija Moon Unit en febrero de 1968, Los Ángeles.

Derecha, abajo: Zappa, uno de los guitarristas y compositores más originales de su tiempo, escribió las letras de todas sus canciones.

Página contigua: Frank Zappa en Roma, 1988.

Steve Biko Benazi
Harvey Milk Martin Lu
Robert F. Kennedy John F. Kei
Eva Perón Che Guevara

Bhutto
er King
edy
alcolm X

Políticos y activistas

Benazir Bhutto

PRIMERA MUJER EN DIRIGIR UN PAÍS MUSULMÁN
21 DE JUNIO DE 1953 - 27 DE DICIEMBRE DE 2007

Benazir Bhutto siguió los pasos de su padre al convertirse en líder de Pakistán. Su celo reformista le procuró muchos enemigos y murió asesinada durante la campaña electoral para revalidar su mandato.

Benazir Bhutto nació en Karachi, hija de un rico terrateniente y activista político que fundó el Partido del Pueblo Pakistaní en 1967. Tuvo una formación privilegiada y estudió en Harvard y Oxford, donde presidió la asociación de estudiantes. Su padre, Zulfikar Ali Bhutto, dirigió un Gobierno civil elegido democráticamente de 1971 a 1977, cuando fue destituido, y posteriormente ejecutado, en un golpe militar capitaneado por el general Zia ul-Haq.

Benazir fue encarcelada durante cinco años y después pasó un largo periodo en el exilio. Afincada en Londres desde 1984, en 1987 Bhutto venció sus reticencias y se prestó a un matrimonio concertado. Tras la muerte de Zia en 1988, Bhutto llevó al PPP a la victoria, prometiendo reformas económicas, sociales y políticas. A la edad de 35 años se convirtió en una de las dirigentes más jóvenes de una nación importante y en la primera mujer al frente del gobierno de un país islámico.

El primer mandato de Bhutto al frente del país terminó en 1990, cuando fue cesada por cargos de corrupción. Volvió al poder en 1993 e instituyó un programa para mejorar la educación, la vivienda y la sanidad. En su calidad de moderada y modernizadora, Bhutto se procuró muchos enemigos. Se refería a Al-Qaeda, organización que en su opinión se hallaba detrás de más de un atentado, en estos términos: «Represento todo lo que más temen: moderación, democracia, igualdad para las mujeres, información y tecnología».

Bhutto se vio obligada a dejar el poder en 1996 para defenderse de las acusaciones de corrupción presentadas contra su marido Asif Ali Zardari y ella misma. Él pasaría ocho años entre rejas y Bhutto abandonó el país en 1998, un año antes de que el general Pervez Musharraf accediera al poder. Musharraf ya era un personaje debilitado en 2007 y Bhutto, a la que una amnistía puso a salvo de imputaciones pasadas, vio la oportunidad de «hacer de Pakistán un modelo positivo para mil millones de musulmanes de todo el mundo». La amenaza de los islamistas radicales llegó en cuanto pisó el suelo patrio y Bhutto sobrevivió a una bomba suicida que se cobró decenas de vidas. La suerte se le acabó dos meses después cuando fue víctima de un disparo después de asistir a un mitin en Rawalpindi.

> **«A pesar de las amenazas de muerte, no me detendré ante la tiranía, sino que lideraré la lucha en su contra.»**

Derecha: La primera ministra Bhutto en compañía del presidente Bill Clinton en la Casa Blanca, 1995.

Página contigua: Benazir Bhutto habla con los medios en Lahore tras su arresto domiciliario tras su vuelta a Pakistán, noviembre de 2007.

Steve Biko

MÁRTIR DEL ANTIAPARTHEID
18 DE DICIEMBRE DE 1946 - 12 DE SEPTIEMBRE 1977

Steve Biko era un activista político y el alma del movimiento de la Conciencia Negra durante la época del *apartheid* en Sudáfrica. Se convirtió en un personaje venerado por los opositores del régimen opresivo del país después de que muriera bajo custodia policial.

Stephen Bantu Biko, nacido en King William's Town, provincia del Cabo, mostró su carácter rebelde a temprana edad cuando fue expulsado de la escuela por su campaña antisistema. Estudió medicina en la universidad segregada de Natal; allí dejó su impronta política en 1969 al fundar la Asociación de Estudiantes Sudafricanos negros movido por la incapacidad de los órganos de representación estudiantiles, predominantemente blancos, para dar respuesta a las necesidades de sus integrantes negros.

Biko elaboró sus ideas sobre la conciencia negra, un estado de ánimo que implica «un orgullo colectivo y la determinación de los negros de sublevarse y alcanzar la identidad imaginada». La petición de integración no bastaba; los negros debían deshacerse de los sentimientos de inferioridad como prerrequisito para hacerse con el poder. «El arma más potente en manos del opresor —alegó— es la mente del oprimido.» Biko tenía en mente a todos los que no eran blancos y sufrían con el *apartheid*.

En 1972 Biko presidió la Convención del Pueblo Negro, un grupo que aglutinaba a las organizaciones negras y luchaba contra la represión del Estado. El año siguiente le fueron impuestas graves restricciones a su libertad de movimiento y de expresión. Aún así, sus pronunciamientos fueron la mecha que prendió fuego a las revueltas estudiantiles de 1976 en Soweto. El conflicto estalló en protesta por la imposición del afrikáans como lengua vehicular de enseñanza, para muchos símbolo lingüístico de un régimen vilipendiado.

Biko fue detenido cuatro veces y retenido sin juicio durante largos periodos. La última irregularidad de este tipo se produjo el 18 de agosto de 1977, cuando fue encarcelado en Port Elizabeth. Murió en la prisión central de Pretoria

«Hemos emprendido una búsqueda de la verdadera humanidad y en algún lugar del lejano horizonte se atisba ya la brillante recompensa.»

Página contigua: Steve Biko, cuya historia fue relatada a un enorme público internacional en el libro Grita libertad *del periodista Donald Wood, que fue convertido en un largometraje homónimo.*

Derecha: Miles de personas asisten al funeral de Steve Biko en King William's Town, septiembre de 1977.

25 días después. La suya fue la más sonada de las muertes acaecidas en dependencias policiales, pero en modo alguno la única. Se desechó de inmediato por absurda la versión oficial de los acontecimientos, según la cual Biko había sido víctima de una huelga de hambre, y la investigación reveló que había fallecido a consecuencia de una hemorragia cerebral. Pasarían 20 años antes de que cinco ex oficiales de la policía admitieran haber participado en las palizas que ocasionaron sus heridas mortales. En aquel entonces, el *apartheid* había sido consignado a los libros de historia y se había hecho realidad el sueño de Biko de «conceder a Sudáfrica el mayor don posible: un aspecto más humano».

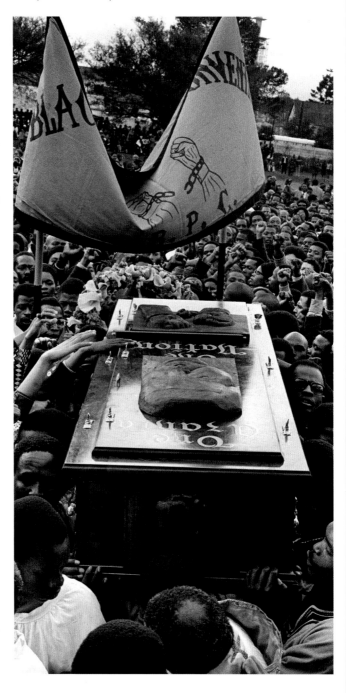

Che Guevara

LÍDER REVOLUCIONARIO
14 DE JUNIO DE1928 - 9 DE OCTUBRE DE 1967

Che Guevara tuvo una educación privilegiada en su Argentina natal y se formó como médico antes de convertirse en revolucionario profesional e icono del movimiento de protesta estudiantil en la década de 1960.

Ernesto Guevara nació en Rosario (Argentina). Fue un niño enfermizo y estudioso cuya ambición era ayudar a la humanidad estudiando medicina. Guevara se licenció en medicina en 1953, pero sus largos viajes por toda Suramérica y Latinoamérica cambiaron su perspectiva radicalmente. Tomó conciencia de las extensas penurias del continente y fue testigo presencial del derrocamiento del Gobierno de izquierdas de Guatemala en un golpe apoyado por Estados Unidos en 1954. Decidió convertirse en un «médico revolucionario», pero se dio cuenta de que una contribución individual a través de su profesión sería un gesto noble pero sin valor alguno. No podía haber amor entre amo y esclavo: la destrucción de esa relación era una condición previa para que el amor floreciera. Revolucionar el sistema, postuló, exigía una revolución.

Guevara conoció a varios exiliados cubanos en sus viajes y fueron ellos quienes le pusieron el apodo, por su costumbre de utilizar el vocablo *ché* ('amigo' en su dialecto nativo) como saludo. Conoció al licenciado en derecho Fidel Castro en México en 1955, que ya había estado preso en una cárcel cubana por intentar instigar una revuelta popular en su país. Se unió al Movimiento del 26 de julio de Castro, de carácter revolucionario, y fue parte de una fuerza de 80 hombres que desembarcaron en Cuba en 1956 con el propósito de derrocar el Gobierno corrupto dirigido por el general Fulgencio Batista. Los enfrentamientos con los soldados del Gobierno redujeron la fuerza de la guerrilla a tan solo un puñado de hombres, entre los cuales se hallaba Guevara. Este pequeño contingente estableció su base

Página contigua: Una imagen clásica de Che Guevara con un puro encendido apretado entre los dientes, 1959.

Abajo: Guevara aparece en el programa de temas de actualidad de la CBS Face the Nation, *14 de diciembre de 1964.*

Arriba: Che Guevara fuma un puro con la corresponsal de noticias de la ABC Lisa Howard, hacia 1960.

en la Sierra Maestra, desde donde comenzó su larga lucha armada. Guevara se convirtió en el leal lugarteniente de Castro, alguien cuyo «resuelto desprecio por el peligro» ayudaba a garantizar que la lucha continuara aun cuando las probabilidades les fueran desfavorables. Guevara escribiría un manual sobre cómo hacer la guerra de guerrillas,

«La revolución no es una manzana que cae cuando está madura. Tienes que hacerla caer.»

un conocimiento acumulado durante una campaña de dos años. Al principio los rebeldes trabajaban para convencer a los pobres, distribuyendo el territorio duramente ganado entre la población campesina. Se ganaron a las clases medias después de que las fuerzas de Batista recurriesen a métodos cada vez más brutales para disuadir a la gente de unirse a la rebelión. Muchos soldados del Gobierno, desmoralizados, se aliaron a la insurrección y, aunque Batista disfrutaba del apoyo logístico de Estados Unidos, la marea se hizo imparable. Batista huyó del país y Castro asumió el control en enero de 1959. Guevara obtuvo la ciudadanía cubana, fue puesto al frente del Banco Nacional y se dedicó a poner en práctica reformas económicas de un éxito limitado. También demostró su carácter implacable como director de la cárcel de La Cabaña en La Habana y se dijo que había sido responsable de la ejecución sumarísima de cientos de enemigos del nuevo régimen. En 1961 fue nombrado ministro de Industrias pero ni siquiera entonces, convertido ya en un funcionario, se quitaba el uniforme de combate. Esa vestimenta le granjeó el cariño de los jóvenes del mundo, era un símbolo para aquellos que se estaban politizando y cuestionaban el orden establecido. La icónica fotografía de Guevara, que adornaría incontables paredes de dormitorio, fue tomada por Alberto Korda, que había trabajado en el mercado de la moda en la Cuba prerrevolucionaria. Curiosamente, en su momento no pensó que el retrato fuera digno de publicarse y permaneció en su colección privada durante algunos años. En 1967, año de la muerte de Guevara, regaló una copia a un editor italiano, que hizo una fortuna distribuyendo la imagen de un hombre para el que los beneficios materiales eran algo odioso.

Guevara creía que la revolución podría exportarse con éxito a otros países donde la gente padeciera una miseria absoluta bajo un régimen opresivo. En una carta a Castro en 1965 escribió: «He cumplido con mi parte del deber que me vinculaba a la revolución en tu territorio. Renuncio formalmente a mi cargo de alcalde y de ministro, y a mi condición de cubano». También hablaba de su «obligación de luchar contra el imperialismo dondequiera que este se encuentre». Castro presentó este documento en octubre de 1965 para explicar la desaparición de Guevara de la vida pública durante los últimos meses. Guevara se había quejado enérgicamente de los soviéticos y como a Cuba no le interesaba irritar a Moscú, algunos concluyeron que era una separación oportuna de los caminos de ambos revolucionarios.

Después de visitar el Congo, Vietnam y su tierra natal, Guevara se afincó en Bolivia, donde comenzó a fomentar la rebelión. Dirigió incursiones guerrilleras, pero le frustró el escaso progreso. Su mala salud también fue un impedimento. Guevara había padecido asma desde la infancia y las picaduras de mosquito, que le provocaban severas reacciones, constituían para él un suplicio. Es posible que su estado

físico le hiciese bajar la guardia mientras intentaba reclutar a mineros del estaño que vivían entre estrecheces. Fue capturado y ejecutado por el ejército boliviano, y su muerte solo sirvió para aumentar su prestigio de idealista romántico, mártir de una causa que abrazó desinteresadamente, defensor de los oprimidos y los desposeídos.

Derecha, arriba: Ernesto Che Guevara, vestido con uniforme militar, escucha las ponencias con unos auriculares en las Naciones Unidas, 12 de diciembre de 1964.

Derecha, abajo: Fidel Castro, primer ministro del Gobierno revolucionario de Cuba y primer secretario del Partido Comunista Cubano, y Che Guevara, ministro de Industrias, durante un mitin popular en La Habana, hacia 1960.

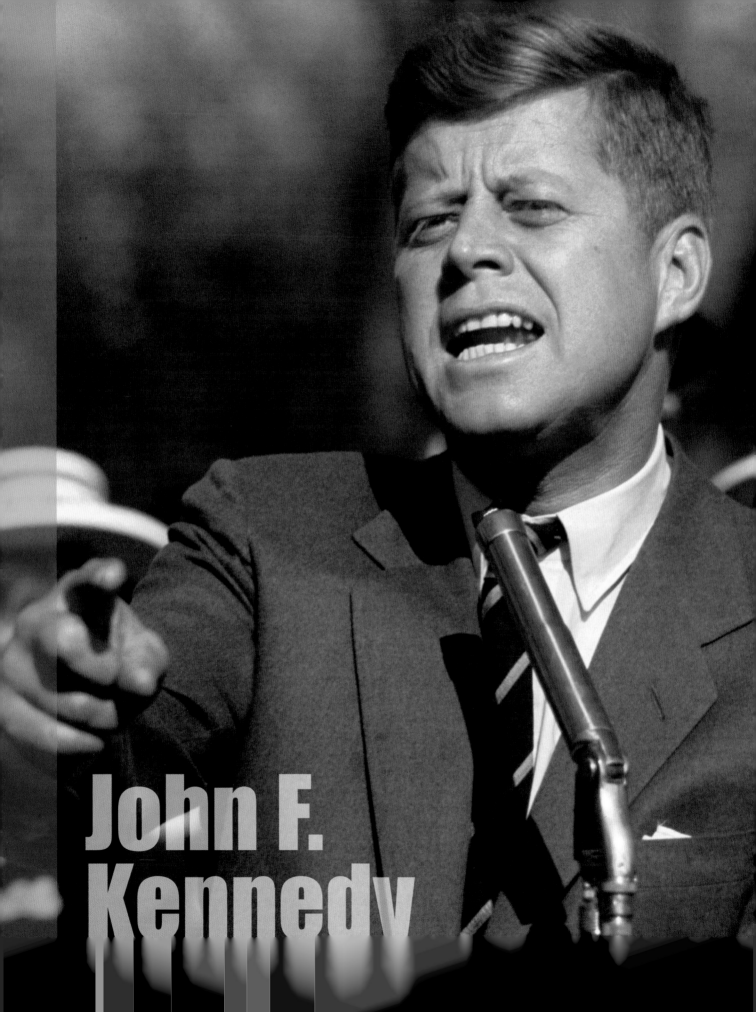

John F.
Kennedy

REY DE CAMELOT
29 DE MAYO DE 1917 - 22 DE NOVIEMBRE DE 1963

Cuando John F. Kennedy ganó las elecciones presidenciales de 1960 y se convirtió en el 35.º presidente de la nación, lo que señaló un nuevo amanecer de esperanza y optimismo. La oleada de optimismo que desató en el extranjero iba mucho más allá del alborozo confiado que acompaña a un cambio de gobierno.

Kennedy, el primer ocupante de la Casa Blanca nacido en el siglo XX y el presidente elegido más joven, tenía carisma, vitalidad y aspecto de estrella de cine. Él y su mujer Jacqueline llevaron *glamour* al cargo más alto del país, imprimiendo una atmósfera cautivadora a la corte de Camelot que presidían. John Fitzgerald Kennedy nació en Brookline (Massachusetts), y era el segundo hijo de Joseph y Rose Kennedy, que eran bostonianos irlandeses y católicos. Tuvo una formación privilegiada. Su padre era un acaudalado hombre de negocios, mujeriego y político también. Fue designado embajador en Gran Bretaña en la década de 1930. La familia estaba inmersa en las tradiciones del Partido Demócrata de una ciudad que se había convertido en baluarte de esta tendencia política tras la afluencia de inmigrantes transatlánticos durante el siglo XIX. Los Kennedy eran grandes triunfadores y cuando el primogénito varón, Joe Jr., murió en la guerra, John fue designado como el hijo para el que había grandes proyectos y del que se esperaba mucho. Fue elogiado por su análisis de la política exterior del Reino Unido en los albores de la Segunda Guerra Mundial en *Por qué Inglaterra se durmió*, publicado en 1940, el año en que se licenció en Harvard. Después vino el servicio militar, donde Kennedy añadió héroe de la guerra a su currículo por llevar a los miembros de la tripulación a un lugar seguro después de que un acorazado japonés hundiera su torpedero.

Fue elegido para la Cámara de Representantes en 1946, y para el Senado seis años después. En 1953 la estrella política naciente se casó con Jacqueline Bouvier, cuya belleza y sofisticación la convirtieron en icono de la moda. Tendrían tres hijos: Caroline, John y Patrick, que murió a los pocos días de haber nacido. Mientras se recuperaba de una de varias operaciones de espalda, Kennedy escribió *Perfiles de coraje*, que le valió un Premio Pulitzer. Se perdió ser candidato a la vicepresidencia de Adlai Stevenson en la elección presidencial de 1956. A pesar de ello, tuvo suerte, ya que Eisenhower resultó elegido para un segundo mandato. Kennedy mejoró su perfil sin verse empañado por la derrota.

Cuatro años después, Kennedy triunfó por un corto margen sobre Richard Nixon, convirtiéndose en el primer católico en ser elegido para la Casa Blanca. Estas fueron las primeras elecciones que se emitieron por televisión y, en los debates, el telegénico Kennedy aventajó mucho a un rival mofletudo y de frente sudorosa. En su discurso de toma de posesión causó revuelo en la nación con su vehemente oratoria, instando a los estadounidenses a no preguntarse lo que su país podía hacer por ellos, sino lo que ellos

Arriba: John F. Kennedy y su hermano menor Robert F. Kennedy fotografiados juntos en 1960.

Página contigua: Kennedy subraya un punto de su discurso durante la campaña electoral en Ilinois, 1960.

Arriba: Retrato de la familia Kennedy en Brookline (Massachusetts) en la década de 1930. Primera fila (de izquierda a derecha): Joseph P. Kennedy Jr., Rose Kennedy, Robert Kennedy, Edward Kennedy, Joseph P. Kennedy, Patricia Kennedy, Jean Kennedy. Fila trasera (de izquierda a derecha): Eunice Kennedy, John F. Kennedy, Kathleen Kennedy y Rosemary Kennedy.

Izquierda: Kennedy camina al lado de su novia Jacqueline Bouvier en una recepción al aire libre, Newport (Rhode Island), 1953.

podían hacer por su país. Su programa de política interna, al que denominó *La nueva frontera*, abarcaba la educación, la salud y los derechos civiles, pero algunas de aquellas medidas se estancaron en el Congreso y correspondió a su sucesor Lyndon Johnson aplicar muchas reformas sociales clave. Colocar a un hombre en la Luna antes de que acabara la década fue otro objetivo que no vivió para ver realizado.

En 1961 Kennedy sufrió un humillante revés en el episodio de Bahía de Cochinos, un plan apoyado por la CIA para derrocar a Fidel Castro, el líder marxista cubano que había alcanzado el poder en 1959. Un año después se enfrentó a Nikita Jrushchov por la tentativa rusa de establecer bases de misiles en Cuba, el momento en el que el este y el oeste estuvieron más cerca de una conflagración nuclear. La fe de

firma de un tratado que prohibía las pruebas nucleares, aunque tuviera un alcance limitado.

El 22 de noviembre de 1963 Kennedy visitó Texas para ocuparse de las luchas internas del Partido Demócrata y despejar así el camino hacia la reelección presidencial en 1964. Sufrió heridas de bala mortales cuando su limusina descapotable se desplazaba a través del centro de Dallas. El ex marine Lee Harvey Oswald fue detenido poco después por la policía. Trabajaba en el depósito de libros de Texas que daba a la plaza Dealey, institución desde donde se habían hecho los disparos. Dos días después Jack Ruby, propietario de un cabaré, disparó y mató al presunto asesino. Después de una investigación que duró un año, la Comisión Warren dictaminó que Oswald había actuado en solitario, lo cual no impidió que se especulara con la participación de otras manos en la sombra, desde sicarios cubanos hasta la mafia. Las teorías de la conspiración han abundado desde entonces y todas coinciden en que Oswald era el «cabeza de turco» que aseguraba ser.

Izquierda: John F. Kennedy pronuncia el discurso del estado de la Unión en 1962 bajo la mirada del vicepresidente Lyndon Johnson.

Abajo: Los Kennedy llegan a Love Field, cerca de Dallas, el día de su asesinato. 22 de noviembre de 1962.

«Así que, compatriotas estadounidenses, no preguntéis qué puede hacer vuestro país por vosotros; preguntad qué podéis hacer vosotros por vuestro país.»

Kennedy en la teoría del dominó sustentó su apoyo al sur de Vietman, considerado un bastión contra la propagación del comunismo en el sureste asiático. Una vez más, fue una intervención que acabaría durante los años posteriores a su muerte. En junio de 1963 se dirigió a los habitantes de Berlín occidental, una ciudad dividida desde 1961, afirmando que un ataque a su libertad era un ataque a la libertad misma. «Todos los hombres libres —declaró desde el balcón del ayuntamiento— dondequiera que vivan, son ciudadanos de Berlín y, por consiguiente, como hombre libre, me enorgullezco de las palabras: *Ich bin ein Berliner.*» Las relaciones entre las superpotencias se relajaron en cierta medida con la

Robert F. Kennedy

ESTADISTA DE UNA DINASTÍA DE POLÍTICOS
20 DE NOVIEMBRE DE 1925 - 6 DE JUNIO DE 1968

Robert Kennedy orquestó la campaña que llevó a su hermano mayor a la Casa Blanca en 1960. Ocho años después, estaba a punto de obtener la candidatura presidencial del Partido Demócrata cuando él también fue abatido por el disparo de un asesino.

Robert Francis Kennedy nació en Brookline (Massachusetts) y el séptimo de los nueve hijos de Joseph y Rose Kennedy. Su padre era un acaudalado hombre de negocios, su madre la hija de un alcalde de Boston con muchos años de servicio. Robert estaba inmerso en el credo del esfuerzo y la competitividad de la familia, en la que de todos se esperaban grandes cosas. La ambición política era también una constante en todos ellos: su padre llegó a ser embajador en el Reino Unido; su hermano mayor estaba destinado a altos cargos antes de que lo mataran en la Segunda Guerra Mundial; y él mismo dirigió la campaña que instaló al segundo hijo, John F. Kennedy, en la Casa Blanca.

> **«Solo aquellos que se atreven a fracasar estrepitosamente pueden cosechar grandes logros.»**

Licenciado en derecho en Harvard, Robert también trabajó en el Departamento de Justicia en la década de 1950. Era abogado principal del Comité del Senado sobre prácticas impropias de 1957 a 1959. El cargo de fiscal general fue su recompensa por ayudar a llevar a su hermano a la presidencia, un puesto que le ofreció la oportunidad de continuar su lucha contra las mafias sindicales y el crimen organizado. También se enfrentó a los grandes negocios, ordenando una investigación en la industria siderúrgica. Los derechos civiles también eran una cuestión política clave. Kennedy se ocupó de llevar a la práctica el dictamen del Tribunal Supremo de 1954, que ponía fin a la segregación en las escuelas, y organizó un despliegue de tropas federales para asegurarse de que los estados sureños se atenían a la nueva norma antidiscriminatoria. Sus atribuciones, con todo, eran mucho más amplias. Fue también un importante asesor del presidente en todos los ámbitos de su política.

Kennedy dimitió como fiscal general poco después de la muerte de su hermano y optó por continuar medrando como senador por Nueva York cuando el presidente Lyndon B. Johnson dejó claro que no lo quería como candidato a la vicepresidencia en las elecciones de 1964. Sus partidarios veían a Johnson como un usurpador y los dos hombres no se podían ver. Kennedy criticaba a Johnson por su manipulación de la guerra de Vietnam.

Abajo: Kennedy posa junto a su escritorio durante su periodo de fiscal general, 1962.

Página contigua: Kennedy en una rueda de prensa, 1967.

Anunció su candidatura a la Casa Blanca en 1968, y se mantuvo en segundo plano hasta que el senador Eugene McCarthy entró en liza y dejó al descubierto la vulnerabilidad de Johnson. Robert Kennedy cayó abatido por varios disparos en el hotel Ambassador de Los Ángeles, cuando acababa de asegurar su victoria en las primarias de una circunscripción clave como California. Su asesino, Sirhan Sirhan, era un palestino nacido en Jerusalén que se oponía a Kennedy por su apoyo a Israel.

Martin Luther King

DEFENSOR DE LOS DERECHOS CIVILES
15 DE ENERO DE 1929 - 4 DE ABRIL DE 1968

Con su edificante oratoria e inquebrantable adhesión a los principios de la protesta pacífica, Martin Luther King despertó la conciencia de Estados Unidos sobre el tema de los derechos civiles. Hizo caso omiso de las amenazas a su integridad física para liderar la lucha por la igualdad, una lucha «para salvar el alma de Estados Unidos».

Martin Luther King nació en Atlanta (Georgia) y era hijo de un pastor baptista. Siguió los pasos de su padre tras estudiar en un seminario y después se doctoró en la Universidad de Boston en 1955. Se convirtió en pastor de la iglesia baptista de la avenida Dexter en Montgomery (Alabama), y pronto se encontró en el ojo de una tormenta política. En diciembre de 1955 la costurera afroamericana Rosa Parks fue detenida después de negarse a abandonar su asiento en la sección exclusiva para blancos del autobús en el que viajaba. El incidente se convirtió en una de las causas célebres del movimiento por los derechos civiles y King se convirtió en el líder del subsiguiente boicot de un año a las empresas de autobuses que daban un servicio discriminatorio. Era un ferviente admirador de Mahatma Gandhi, que había hecho una larga campaña no violenta por la independencia de la India. Utilizar la influencia económica para hacer hincapié en un tema político casaba bien con esa filosofía. Al enfoque de Gandhi le agregó los principios cristianos del amor y el perdón, cualidades que necesitaría en abundancia durante la siguiente década, en particular cuando estuvo preso, recibió amenazas de muerte y estalló una bomba en su casa. El oponente de Gandhi era un opresor imperial perfectamente identificable; King tuvo que enfrentarse al miedo y a unos prejuicios profundamente arraigados.

El Tribunal Supremo proscribió las prácticas discriminatorias en los autobuses de Alabama en 1956, la primera de una serie de victorias legislativas durante el periodo en que King estuvo al frente del movimiento por los derechos civiles. Pronto quedó claro que los cambios legislativos no bastaban. En 1957 el estado de Arkansas envió tropas a la localidad de Little Rock para impedir que los estudiantes negros ocuparan sus lugares en el instituto no segregado. Fue uno de los enfrentamientos entre los líderes de los estados sureños y el Gobierno federal, una prueba de que era necesario conquistar los corazones y las mentes así como ganar las batallas legales.

King renunció a su labor evangélica en 1960 para centrarse exclusivamente en los derechos civiles. Había una necesidad apremiante de canalizar el creciente

Derecha, arriba: Martin Luther King y su mujer, Coretta Scott King, salen del Tribunal de Montgomery, tras su juicio por cargos de conspiración para boicotear a los autobuses urbanos segregados, 23 de marzo de 1956.

Derecha, abajo: El reverendo presta declaración durante un juicio racial en Florida, 1963.

Página contigua: El reverendo Martin Luther King descansa en su casa en Montgomery (Alabama), 1956.

descontento de los estudiantes, asegurando que se mantuviera el principio de protesta no violenta. Aquellos que estaban deseando adoptar una postura más militante acusaron a King de ser un moderno tío Tom.

En 1961 comenzó con los Viajes por la Libertad que acabaron por dar fin a la segregación en los viajes interestatales. Dos años después organizó una marcha por la libertad en Washington. Habló de forma conmovedora del «pagaré» firmado por los padres fundadores del país y adeudado todavía por Estados Unidos, habida cuenta del modo en el que trataba a la población de color. El reproche vino acompañado de la visión de un futuro mejor. «Sueño con que mis cuatro hijos vivan un día en una nación en la que no se les juzgará por el color de su piel, sino por la

valía de su carácter.» Habló de una «tierra prometida» que él mismo dijo que quizá no llegaría a conocer. Fue un comentario profético, pues cambiar las actitudes era un cometido sumamente lento y estaba bajo la amenaza constante de los partidarios de la línea dura anclados en el viejo orden.

El presidente John F. Kennedy presentó un proyecto de ley de los derechos civiles que se convirtió en ley en 1964, después de su asesinato. King obtuvo el Premio Nobel de la Paz ese mismo año. La ley de derecho de voto fue aprobada en 1965, pero la lucha no había hecho más que empezar. Cada éxito provocaba una reacción violenta de los reaccionarios. En un discurso en Atlanta en 1967, King dijo: «La discriminación es una criatura del averno que atormenta a los negros todos y cada uno de los días de sus vidas,

«Cualquier injusticia aislada es una amenaza para la justicia global.»

para recordarles que la mentira de su inferioridad es aceptada como una realidad en la sociedad que los domina».

En 1968 amplios sectores de la población todavía seguían viéndose desfavorecidos en cuestiones como el empleo y la vivienda. King lanzó la Campaña de los Pobres, con la que quiso enfrentarse a la pobreza que afectaba a todos los estratos sociales. Tenía sus esperanzas puestas en la aprobación de una carta de derechos económicos, una campaña que se encontraba en estado embrionario cuando dispararon a King mientras estaba de pie en el balcón de su habitación de hotel en Memphis el 4 de abril de 1968.

James Earl Ray fue detenido en Londres dos meses después. Se declaró culpable y fue condenado a cadena perpetua, aunque posteriormente cambió su declaración, afirmando enérgicamente su inocencia hasta el momento de su muerte en 1998.

Martin Luther King es venerado por su trabajo en el ámbito de los derechos humanos, una figura inspiradora cuyas palabras, frecuentemente citadas, no han perdido ni pizca de su impacto como grito de guerra por la igualdad y denuncia de la injusticia.

Página contigua: Martin Luther King saluda con la mano a sus partidarios desde los escalones del Monumento a Lincoln el 28 de agosto de 1963 durante la marcha en Washington, en la que pronunció su discurso más famoso.

Abajo: King marcha con cientos de partidarios e integrantes del Movimiento por la Libertad de Chicago a lo largo del State Street, en Chicago (Illinois), 26 de julio de 1965.

Harvey Milk

VALIENTE DEFENSOR DE LA IGUALDAD DE DERECHOS
22 DE MAYO DE 1930 - 27 DE NOVIEMBRE DE 1978

Harvey Milk sabía que se estaba colocando en la línea de fuego cuando resultó elegido para ocupar un cargo público en San Francisco en 1977. Milk, el primer funcionario electo de la ciudad abiertamente homosexual, afirmó que aquel paso ofrecía la «esperanza de un mañana mejor».

Harvey Milk era neoyorkino de nacimiento y su familia llevaba un negocio minorista en Long Island. Después del instituto estudió en el New York State College for Teachers, y se graduó en 1951. Milk sirvió en la marina de Estados Unidos durante la guerra de Corea; siempre creyó que su orientación sexual fue la que motivó su licenciamiento en 1955, aunque esta versión de los acontecimientos no concuerda con el informe oficial. Como se había especializado en matemáticas, utilizó

sus conocimientos como actuario de seguros y más tarde como analista financiero en Wall Street. Era un banquero de éxito, pero su trabajo no le entusiasmaba.

En 1972 Milk se trasladó a San Francisco y abrió una tienda de equipamiento fotográfico y en 1973 hizo su primer intento por ingresar en el ayuntamiento como concejal de la ciudad. A diferencia de algunos de sus amigos gais, que preferían esconder su orientación sexual y procuraban promover cambios furtivamente, Milk optó por proclamar su sexualidad a los cuatro vientos. Su franqueza tuvo un efecto electrizante. Sus simpatizantes organizaban carteles

«Si trabajo bien, a la gente no le importará que sea verde o tenga tres cabezas.»

Abajo: El alcalde George Moscone y el concejal Harvey Milk en un acto de inauguración, San Francisco, 1978.

Página contigua: Harvey Milk posa frente a su tienda de fotografía tras su elección como concejal en 1977.

electorales humanos y consiguieron aupar a Milk a un cargo público a la tercera tentativa.

En su breve periodo como concejal Milk se esforzó para que no se le considerara un político con un solo tema. Puso mucho empeño en resolver el problema de los excrementos de perro, pero sabía que las relaciones públicas por sí solas no cambiarían la mentalidad de los intolerantes, incapaces de aceptar su nombramiento. Incluso grabó una cinta en la que predijo su muerte, que sobrevino a manos de Dan White, ex bombero y antiguo concejal, ferviente opositor a la ley sobre los derechos de los homosexuales recientemente aprobada. El alcalde de la ciudad, George Moscone, cayó también abatido por sus disparos. La amable vista y la indulgente sentencia de Dan White provocaron una violenta reacción.

El mismo Milk no habría querido reproches en caso de morir: «Si una bala se me alojara en el cerebro —dijo— dejad que esa bala destroce todas las puertas de los armarios». Era una exhortación excesivamente ambiciosa, de la índole que uno esperaría de una figura tan inspiradora. Sean Penn, que se hizo acreedor a un *oscar* por su interpretación de Harvey en *Milk,* se refirió a él como «un gran hombre, una persona bella y valiente». En 2009 Harvey Milk recibió a título póstumo la Medalla Presidencial a la Libertad.

Eva Perón

PRIMERA DAMA DE ARGENTINA
7 DE MAYO DE 1919 - 26 DE JULIO DE 1952

Eva Perón, popularmente conocida como Evita, era objeto de una adoración casi mística por parte del pueblo argentino. Muchas la consideraban una santa y el Vaticano recibió miles de peticiones para su canonización oficial durante los dos años posteriores a su muerte.

María Eva Ibarguren nació en la Argentina rural y era hija de un estanciero y su amante. Algunas fuentes le dan el apellido Duarte al nacer (el de su padre), pero sus progenitores no estaban casados y su ilegitimidad a menudo ocasionó que la trataran injustamente cuando creció. Evita, una chica vivaz e inteligente, se marchó a Buenos Aires cuando era una adolescente para comenzar una carrera de actriz. Después de unos pocos papeles menores

en el cine y el teatro, encontró un empleo fijo en la radio y en 1943 era una de las actrices mejor pagadas del país.

En 1944 Evita participó en una serie de eventos para recaudar fondos para ayudar a las víctimas de un seísmo y en la gala final conoció al secretario de Trabajo, un popular político llamado Juan Perón. En pocas semanas ella estaba compartiendo su apartamento. Perón llegó a convertirse en vicepresidente de la República, pero el descontento político reinante al final de la Segunda Guerra Mundial llevó a su detención y encarcelamiento en 1945, aunque fue puesto en libertad rápidamente después de una sublevación populista. Poco después de su liberación, Perón se casó con Eva y al año siguiente comenzó a hacer campaña electoral para la presidencia. Evita lo acompañó en su recorrido por el país –fue la primera mujer en la política argentina

«Solo soy una mujer sencilla que vive para servir a Perón y a su pueblo.»

en hacerlo– y, aunque las clases altas la rechazaron, fue ganando popularidad entre la gente común, que la apodó *Evita*.

Después de que Perón fuera elegido, Evita hizo una campaña a favor de los derechos laborales y del sufragio femenino; jugó un papel decisivo en la formación del Partido Peronista Femenino. También estableció la Fundación Eva Perón, que apoyaba a los pobres de forma práctica a través de la donación de productos y la concesión de becas, así como la construcción de viviendas y hospitales. La propia Evita trabajaba cada día en la fundación, conociendo a aquellos que se personaban a pedir ayuda. En 1951 fue propuesta como candidata a la vicepresidencia y, a pesar de la oposición de los militares, tuvo un aplastante apoyo de la mayoría de población. Sin embargo, al mismo tiempo

su salud se iba deteriorando; posteriormente le fue diagnosticado un cáncer y murió al año siguiente. En una multitudinaria muestra de dolor, cerca de un millón de argentinos llenaron las calles de Buenos Aires en su cortejo fúnebre.

Arriba: Juan y Eva Perón y el coronel Mercante leen un periódico juntos después de la elección de Perón como presidente en febrero de 1946.

Abajo: Eva Perón se dirige a una multitud de mujeres en 1951.

Página contigua: Eva Perón levanta las manos en un gesto de protesta moderada.

Malcolm X

LÍDER DEL NACIONALISMO NEGRO
19 DE MAYO DE 1925 - 21 DE FEBRERO DE 1965

Malcolm X estuvo al frente del movimiento por los derechos civiles en Estados Unidos. En un principio, perseguía fines separatistas y veía la violencia como un instrumento aceptable del cambio, pero más tarde renunció a sus ideas extremistas y abogó por la fraternidad universal.

Nació con el nombre de Malcolm Little en Omaha (Nebraska) y era hijo de un pastor baptista que sufrió el acoso del Ku Klux Klan por su campaña abierta a favor de la Asociación Universal de Desarrollo Negro. La familia se trasladó a Lansing (Michigan), donde su padre, Earl Little, murió en misteriosas circunstancias en 1931. El dictamen oficial fue que había sido atropellado por un tranvía en un trágico accidente. Otros aseguraron que había sido empujado. Su mujer padeció una crisis nerviosa y tuvo que ser ingresada.

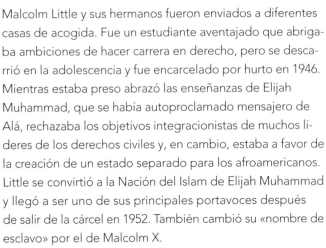

«Sentarte a la mesa no te convierte en un comensal.»

Malcolm Little y sus hermanos fueron enviados a diferentes casas de acogida. Fue un estudiante aventajado que abrigaba ambiciones de hacer carrera en derecho, pero se descarrió en la adolescencia y fue encarcelado por hurto en 1946. Mientras estaba preso abrazó las enseñanzas de Elijah Muhammad, que se había autoproclamado mensajero de Alá, rechazaba los objetivos integracionistas de muchos líderes de los derechos civiles y, en cambio, estaba a favor de la creación de un estado separado para los afroamericanos. Little se convirtió a la Nación del Islam de Elijah Muhammad y llegó a ser uno de sus principales portavoces después de salir de la cárcel en 1952. También cambió su «nombre de esclavo» por el de Malcolm X.

Malcolm X, que se oponía con vehemencia a la postura pacifista adoptada por Martin Luther King y sus partidarios, hablaba de la irrelevancia de la integración para los negros pobres y del odio a sí mismo implícito en mendigarla. Sostenía que en una lucha entre los poderosos y los desposeídos nada se lograría sin una revolución y el derramamiento de sangre. Sus opiniones extremistas e incendiarias palabras lo convirtieron en una figura aterradora para

Izquierda: Malcolm X se aproxima al campeón de boxeo de los pesos pesados e integrante de la Nación del Islam Muhammad Alí en febrero de 1964.

Página contigua: Malcolm X pronuncia un discurso en marzo de 1964.

los estadounidenses blancos y acabaron por provocar el distanciamiento con Elijah Muhammad. En 1964 fundó la Organización de la Unidad Afroamericana (OUAA) y comenzó a hacer campaña a favor de la armonía racial en lugar de abogar por el separatismo. Buscó integrar una dimensión internacional a la lucha por la justicia y la igualdad. Sin embargo, Malcolm X se había granjeado muchos enemigos entre sus antiguos colegas y los tres hombres condenados por matarlo a tiros durante un mitin de la OUAA en el Audubon Ballroom de Nueva York el 21 de febrero de 1965 tenían conexiones conocidas con los Musulmanes Negros.

James Dean Rive
Rodolfo Valentino St
Jean Harlow Heatl
Bruce Lee Marilyn Mon

Actores

heonix
e McQueen
edger
be John Belushi

John Belushi

UN CÓMICO IMAGINATIVO, IRREVERENTE E INDOMABLE
24 DE ENERO DE 1949 - 5 DE MARZO DE 1982

Los números cómicos y las delirantes parodias del programa de televisión *Saturday Night Live* llevaron a John Belushi a lo más alto, una fama que se consolidó cuando puso todo su talento al servicio de la gran pantalla.

John Belushi, hijo de inmigrantes albaneses, creció en Wheaton (Illinois). De niño le gustaba jugar al fútbol, tocar la batería y subirse al escenario, sobre todo esto último. En 1971 entró a formar parte del afamado grupo Second City de Chicago, que lanzó a muchos artistas al estrellato. La imitación de personajes como Joe Cocker le dio a conocer entre el gran público y pronto se hizo un nombre como un extraordinario y muy expresivo humorista.

En 1973 participó en la producción teatral independiente *Lemmings*, una parodia de los festivales al estilo de Woodstock. El espectáculo estaba inspirado en la revista *National Lampoon* y cinco años después Belushi dio el salto a la gran pantalla cuando la misma publicación llevó *Desmadre a la americana* al cine, donde interpretaba al guarrete y borrachín Bluto Blutarsky en una comedia universitaria que generó un sinfín de secuelas.

Por entonces Belushi ya era muy conocido por su trabajo en *Saturday Night Live*. Era uno de los miembros del reparto original cuando el programa empezó a emitirse en octubre de 1975. Al público le entusiasmaban su Beethoven a ritmo de *blues*, sus payasadas vestido de abeja y su papel de cocinero samurái.

Al principio compaginó su carrera televisiva con la cinematográfica, pero en 1979 decidió dedicarse exclusivamente al cine. Junto a Dan Aykroyd, su compañero en *SNL*, participó en la comedia *1941* de Spielberg, cuyo fracaso en taquilla no desvirtuó la buena actuación de Belushi en el papel de Wild Bill Kelso, que un crítico describió como «brillantemente asquerosa». Después, ambos protagonizaron *Granujas a todo ritmo* (1980) encarnando a dos personajes que ya habían debutado en el programa de televisión. Con el tiempo se convertiría en una película de culto.

En *Continental Divide* (1981) Belushi dio un giro romántico a su carrera al interpretar a un periodista que se enamora de una especialista en avistamiento de águilas. El mismo año volvió a trabajar con Aykroyd en *Mis locos vecinos*, donde Belushi interpretaba un papel muy distinto a los anteriores: un tipo afable que tiene que vérselas con una excéntrica pareja de vecinos. En la primavera de 1982 Aykroyd contaba ya con su amigo y colaborador para su próxima película juntos, la comedia paranormal *Los cazafantasmas*. El proyecto estaba aún en el tintero cuando encontraron a Belushi muerto de una sobredosis en la habitación de un hotel de Los Ángeles. Cathy Smith, su suministradora habitual, fue condenada a 15 meses de cárcel tras confesar que le había inyectado un cóctel mortal al actor. Tenía 33 años cuando murió.

«Hay cómicos que aman a sus personajes, pero yo nunca me enamoro de los míos.»

Arriba: Belushi con su amigo, el cómico Steve Martin en 1981.

Izquierda: Dan Ackroyd y John Belushi en Granujas a todo ritmo.

Página contigua: Actuación en Blues Brothers Live *en el pabellón Concord de California en 1980.*

113

John Candy

UN CÓMICO DE ENVERGADURA
31 DE OCTUBRE DE 1950 - 4 DE MARZO DE 1994

John Candy empezó como cómico en el teatro y la televisión antes de consagrarse como un magnífico actor de comedias cinematográficas. En una industria dominada por los grandes egos, Candy despertó mucha admiración por su generosidad: fue un gigante tierno y excepcional.

En su adolescencia, John Franklin Candy, originario de Toronto, destacó como jugador de fútbol americano, pero también le picó el gusanillo del teatro. El personaje paternal y exuberante que interpretaba en la gran pantalla coincidía con su personalidad en la vida real, y le permitió compaginar las clases de interpretación con los estudios de periodismo. Cuando llegó el momento de elegir una profesión se decantó por la primera.

> **«Quizá elegí ser actor para ocultarme de mí mismo, para perderme en los personajes.»**

Primero colaboró en un grupo de teatro para niños, donde hizo las delicias de los más pequeños. Después llegaron las películas para televisión y de bajo presupuesto, pero fue su participación en el grupo de comedia teatral Second City, galardonado con un Emmy, la que dio un buen empujón a su carrera. El espectáculo de gags, que incluía improvisaciones en las que demostraba sus habilidades como mimo, se trasladó con éxito a la pequeña pantalla.

Dan Aykroyd, amigo de Candy desde la adolescencia, y John Belushi fueron otros miembros de Second City que cosecharon grandes éxitos en el cine y, en 1980, Candy participó en el clásico *Granujas a todo ritmo*. Al año

Abajo: Candy en el papel del vigilante Lasky en Las vacaciones de una chiflada familia americana (1983) de Harold Ramis.

Página contigua: John Candy, fotografiado en 1993.

siguiente interpretó a uno de los inadaptados de la comedia militar *El pelotón chiflado*. Tras dar vida al mujeriego hermano de Tom Hanks en *Uno, dos, tres… splash* (1984), participó en varias comedias taquilleras, incluidas la nueva versión de *El gran despilfarro* (1985) y *La loca historia de las galaxias* (1987), de Mel Brooks.

Trabajó asiduamente para John Hughes, interpretando el memorable papel del charlatán y bienintencionado vendedor de anillas para cortinas de ducha que frustra el viaje de regreso a casa de Steve Martin en *Mejor solo que mal acompañado* en 1987. Dos años después, intercambió diálogos graciosos con Macaulay Culkin en *Solos con nuestro tío*, en la que interpretaba al sufrido pariente encargado de cuidar a los hijos de su hermano. En ella

Candy estaba como pez en el agua: bastaba rascar un poco para que asomara su corazón de oro.

En *JFK* (1991) de Oliver Stone, Candy interpretó un papel dramático y, ese mismo año, siguió la estela de *Marty* de Ernest Borgnine al interpretar contra todo pronóstico un papel romántico en el que intentaba cortejar a Ally Sheedy ante las reticencias de una madre dominante. En la vida real Candy estaba casado y tenía dos hijos.

John Candy era consciente de que su corpulencia podía suponer un problema; no en vano su padre había muerto joven de un infarto. Tenía 43 años cuando sufrió un ataque al corazón mientras rodaba *Caravana al este* (1994). La película, que pudo terminarse mediante el uso de un doble, está dedicada a su protagonista.

Montgomery Clift

EL ACTOR ATORMENTADO
17 DE OCTUBRE DE 1920 - 23 DE JULIO DE 1966

En la gran pantalla, Montgomery Clift exploraba las emociones más profundas a través de personajes atormentados y a menudo desarraigados. En la vida real tenía conflictos sobre su identidad sexual, y un accidente de tráfico le causó espantosas lesiones que le llevaron al declive.

Nacido en Omaha (Nebraska), Montgomery Clift descubrió su vocación en los primeros años de la adolescencia, primero en una compañía de repertorio que actuaba en verano y después en Broadway. Estuvo más de una década sobre los escenarios de Nueva York, donde se ganó una reputación de actor dotado de gran inteligencia y sensibilidad. Además, era muy guapo y se convirtió en objeto de deseo para los productores de Hollywood.

Clift tenía 28 años cuando debutó en la gran pantalla con la película del oeste *Río rojo* junto a John Wayne y *Los ángeles perdidos*, ambas estrenadas en 1948. El segundo filme le valió la primera de las tres candidaturas a los *oscars* en cinco años. Este amplio reconocimiento daba cuenta también del cuidado con el que Clift escogía sus trabajos.

Un lugar en el sol (1951) y *De aquí a la eternidad* (1953) también contarían con el beneplácito de la Academia. La primera película, en la que interpretaba a un arribista de destino aciago, fue la primera de las tres que protagonizó con Elizabeth Taylor, su gran amiga y confidente. «Es como si fuera mi otra mitad», llegó a decir Clift de la mujer que le salvó la vida en mayo de 1956. Regresaba de una fiesta en casa de Taylor cuando tuvo un accidente de coche que le desfiguró el rostro. Ella llegó enseguida al lugar y le extrajo los dientes que habían quedado incrustados en la garganta para que pudiera respirar. Ambos estaban rodando *El árbol de la vida*, un drama ambientado en la guerra de secesión americana en el que el director Edward Dmytryk se las ingenió con la cámara para ocultar su rostro desfigurado.

«Solo intento ser actor; no una estrella de cine, sino un actor.»

Aquel accidente no supuso el final de su carrera, pero sí el comienzo de un largo declive ensombrecido por las drogas y el alcohol. Clift obtuvo otra candidatura a los *oscars* por *¿Vencedores o vencidos? (El juicio de Núremberg)* (1961), y protagonizó la película biográfica de John Huston *Freud, pasión secreta* (1962). También trabajó con Clark Gable y Marilyn Monroe en *Vidas rebeldes* (1961). Monroe dijo unas palabras reveladoras al afirmar que Clift era «la única persona que está peor que yo».

Para relanzar la carrera de su amigo, Taylor se ofreció a hacerse cargo de cualquier pérdida cuando los productores se negaron a que trabajara en *Reflejos en un ojo dorado*. Finalmente, el papel de militar homosexual reprimido fue a parar a Marlon Brando. Cuando se estrenó la película, Clift había muerto de un infarto. El actor y director Robert Lewis, que le conocía desde sus comienzos en Broadway, describió su muerte como «el suicidio más largo de la historia».

Página contigua: Fotograma promocional tomado a finales de la década de 1940, al comienzo de la carrera de Clift en Hollywood.

Izquierda: Clift posa con su gran amiga Elizabeth Taylor, que le salvó la vida en 1956.

Arriba: En el rodaje de El árbol de la vida *con Eva Marie Saint.*

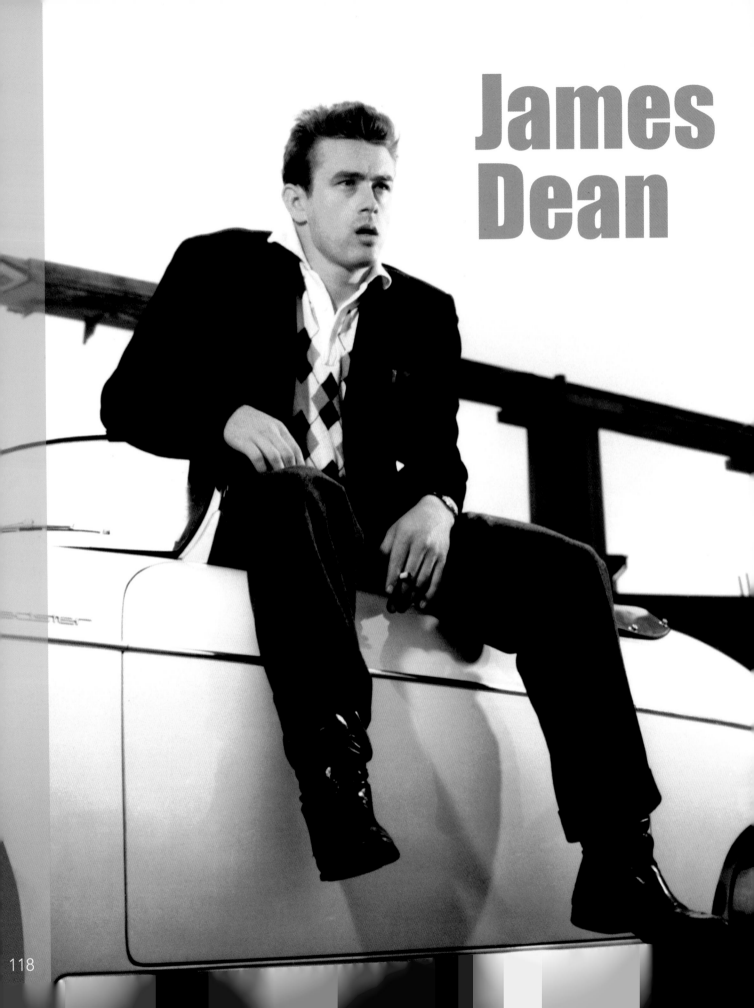

James
Dean

REBELDE SIN CAUSA
8 DE FEBRERO DE 1931 - 30 DE SEPTIEMBRE DE 1955

Protagonizó tres películas, de las cuales solo una se estrenó antes de que encontrara la muerte al volante de un Porsche Spyder. Pese a tan exigua filmografía, James Dean ha quedado en el recuerdo como un actor con un talento extraordinario y una figura de culto para las fanáticas adolescentes de la generación del *rock*.

James Byron Dean nació en Marion (Indiana) y vivió allí hasta los cinco años, cuando su padre, que era protésico dental, trasladó la familia a Los Ángeles. Cuando tenía ocho años, la muerte de su madre precipitó su regreso al Medio Oeste, donde Dean se instaló en casa de sus tíos, puesto que su padre, viudo y con hijos, tenía problemas para sobrellevar sus responsabilidades. Vivió en la granja de Indiana durante sus años de instituto, en los que demostró ser un alumno mediocre. La pérdida de su madre le había convertido en un muchacho reservado e inquieto –dos rasgos que plasmaría fielmente en la gran pantalla–, aunque encontró una válvula de escape en el teatro y el deporte. Decidió dedicarse a la interpretación, para lo cual regresó a California tras terminar los estudios de secundaria en Fairmont High y reencontrarse fugazmente con su padre, que para entonces ya había se había casado de nuevo. Asistió un tiempo a la Universidad de California y amplió sus estudios en un taller de teatro dirigido por James Whitmore, que tuvo una ilustre carrera como actor de reparto. Whitmore, uno de los cofundadores del Actors Studio, le enseñó el Método y le aconsejó que se instalara en Nueva York para perfeccionar el oficio.

Abajo: Dean y el director Nicholas Ray comentan una escena de Rebelde sin causa *en el observatorio de Griffith Park de Los Ángeles.*

Página contigua: James Dean sentado en su Porsche Speedster en Los Ángeles, 1955.

Gracias a pequeños papeles y algunos anuncios consiguió el dinero necesario para instalarse en la costa este de Estados Unidos en 1952. Entre ellos se contaban papelitos fugaces en el filme bélico *A bayoneta calada*, *Vaya par de marinos* (una película del tándem Dean Martin/ Jerry Lewis) y *¿Has visto a mi chica?*, en la que Rock Hudson, su futuro coprotagonista en *Gigante*, interpretaba al galán.

Lee Strasberg, el gurú del Actors Studio, supo ver el potencial de Dean, al que con el tiempo compararían inevitablemente con Marlon Brando, un exponente del Método que brillaba en la gran pantalla mientras Dean se buscaba la vida en el teatro y la televisión. Su debut en Broadway, *See the Jaguar*, fue un fracaso absoluto, pero la crítica elogió su papel en *El inmoralista* de André Gide. Con esta obra obtuvo el premio Theater World de Daniel Blum como una de las jóvenes promesas de 1954, un galardón que el propio Brando había recibido ocho años antes. Esto le dio la oportunidad de hacer una prueba para la Warner Brothers y regresar a la capital del cine con el estrellato como objetivo.

«Sueña como si fueras a vivir para siempre y vive como si fueras a morir hoy.»

Dean triunfó con el papel de Cal Trask en *Al este del Edén* (1955), la adaptación de Elia Kazan de la obra homónima de Steinbeck. Su interpretación del hijo resentido que no se siente querido por el patriarca Raymond Massey supuso la primera de dos candidaturas a los *oscars*, aunque Dean falleció antes de recibir el reconocimiento de la industria. Sus esfuerzos no siempre fueron apreciados por Massey, un distinguido actor de la vieja escuela al que le costaba trabajo adaptarse a la carga emotiva improvisada de sus jóvenes coprotagonistas. Kazan le dejaba hacer: sabía que la tensión creativa se reflejaba de forma positiva en la gran pantalla.

Las disputas familiares fueron aún más acusadas en su siguiente película, *Rebelde sin causa* (1955), una mirada sobre el gamberrismo entre la juventud de clase media. Dean interpretaba a Jim Stark; según un crítico, «es una criatura que intenta desesperadamente comunicar sus

Izquierda: James Dean charla con la actriz Pier Angeli, con quien vivió un breve romance en 1954.

Arriba: Dean posa en el plató de Al este del Edén *de la Warner Brothers en 1954.*

Página contigua: Fotografiado con Elizabeth Taylor, la coprotagonista de Gigante *en 1956.*

deseos y su soledad, y lo único que consigue es una especie de código morse estimulante pero entrecortado, intermitente y vacilante». Stark es el inadaptado que recrimina a sus padres que le están destrozando la vida.

La última película de Dean, completada poco antes de morir, fue *Gigante* (1956), una compleja saga familiar basada en una novela de Edna Ferber. En ella interpretaba a Jett Rink, otro personaje marginal y atormentado pese a hacer fortuna con el petróleo. Se había puesto punto final al rodaje y Dean, que sumaba entonces 24 años, se dirigió a Salinas (California) con su Porsche para disfrutar de su otra gran afición: las carreras de coches. Su contrato prohibía tajantemente tan peligroso pasatiempo. Resulta paradójico que aquel nimio intervalo de despreocupación diese el pistoletazo de salida al viaje que le costaría la vida. Camino de las carreras, chocó frontalmente contra otro vehículo y perdió

la vida. Ironías del destino, poco antes había protagonizado una campaña de seguridad vial en la que resaltaba el peligro de la carretera en comparación con la pista de carreras.

Rebelde sin causa se estrenó poco después de la muerte de Dean. *Gigante* lo haría un año después con una segunda candidatura póstuma al mejor actor, un hecho sin precedentes en los más de 80 años de historia de la Academia.

El duelo por la muerte de Dean fue comparable al que había despertado la muerte de Rodolfo Valentino 30 años antes. Ambos tenían un encanto melancólico, latente, pero así como Valentino vendía atractivo sexual, Dean encarnaba a una juventud rebelde e incomprendida. Desde entonces ha conservado ese carácter simbólico, capaz de conectar con generaciones de adolescentes que han experimentado las mismas preocupaciones, frustraciones y dudas que Dean plasmó magistralmente en la gran pantalla.

Rainer Werner Fassbinder

EL POLÉMICO NIÑO PRODIGIO DEL CINE ALEMÁN
31 DE MAYO DE 1945 - 10 DE JUNIO DE 1982

Director, actor, guionista y montador, Rainer Werner Fassbinder fue uno de los gurús de la nueva corriente del cine alemán de la década de 1970. De izquierdas y con una visión pesimista del mundo, Fassbinder realizó un retrato desapasionado de la sociedad contemporánea.

Nacido en Baviera con el final de la Segunda Guerra Mundial aún muy reciente, Fassbinder tuvo poco contacto con su padre, un médico que se separó de su madre cuando él tenía cinco años. Su madre se convirtió en un miembro más de su *troupe*, una compañía muy unida de la que también formaban parte sus ex mujeres y amantes de ambos sexos. Esta forma de trabajar, junto a su a su insistencia en rodar tomas únicas, permitió a Fassbinder capturar su visión sobre el celuloide con una velocidad y una eficacia notables. Produjo nada menos que 41 películas en 13 años.

Apasionado del cine desde una edad temprana, en su opinión las producciones de Hollywood «transmitían emociones y nada más». Fassbinder quería que el espectador tuviera «la posibilidad de reflexionar y analizar lo que siente». Uno de los directores a los que más admiraba era su compatriota Douglas Sirk, cuyos melodramas de la década de 1950 abordaban conflictos acechantes tras un aparente bienestar. De hecho, *Todos nos llamamos Alí* (1974), de Fassbinder, es una nueva versión de *Solo el cielo lo sabe*, de Sirk.

> ## «Todos tenemos derecho a elegir entre disfrutar de una existencia breve, pero intensa, o llevar una vida larga y convencional.»

Fassbinder encontró un paralelismo entre la Alemania de la década de 1970 y la república de Weimar, una tendencia derechista que quiso denunciar. Asimismo, pensaba que el milagro económico de la posguerra había favorecido una falsa apariencia de satisfacción y optimismo. La incitación al delito por parte de la policía era otro de sus temas recurrentes. En *Warum läuft Herr R. Amok?* (1970), un hombre que aparentemente lo tiene todo mata a su familia antes de suicidarse. En *Desesperación* (1978), un empresario chocolatero planea desaparecer intercambiando su identidad con la de un vagabundo.

Cuando murió víctima de una sobredosis, Fassbinder se había embarcado en una serie de filmes protagonizados por personajes femeninos cuyas historias eran una crónica del mundo de la política. En *El matrimonio de Maria Braun* (1978), su película más conocida, Hanna Schygulla protagoniza la historia de frustración marital, una alegoría de la Alemania de la posguerra. La protagonista homónima de *La ansiedad de Veronika Voss* (1982) es una actriz venida a menos y adicta a la morfina que cae en las garras de un médico que se aprovecha de las adicciones de sus pacientes. La policía antidroga está confabulada con los camellos, el declive personal reflejado en un estado moribundo. En una entrevista realizada poco antes de su muerte, Fassbinder dijo: «Las mujeres están socialmente desamparadas. A veces resulta más fácil entender al opresor mostrando el comportamiento del oprimido y su forma de enfrentarse a él».

Arriba: El actor italiano Franco Nero, la actriz y cantante Jeanne Moreau y el actor Brad Davis en el rodaje de Querelle, *1982.*

Página contigua: Fassbinder en el rodaje de Desesperación, *1978.*

Judy Garland

UN JUGUETE ROTO
10 DE JUNIO DE 1922 - 22 DE JUNIO DE 1969

Judy Garland fue la estrella que brilló con más intensidad en la época dorada de los musicales de cine. Explotaron sin piedad su talento, y su vida privada fue un caótico vaivén dominado por las drogas y el alcohol en la que la felicidad no era sino un espejismo.

Judy Garland, nombre artístico de Frances Gumm, prácticamente nació sobre un escenario. Hija de padres dedicados al teatro y originaria de Grand Rapids (Minesota), debutó sobre el escenario con tres años y más tarde participó con su madre y sus hermanas en un espectáculo familiar. El conjunto pasó sin pena ni gloria, pero el miembro más joven de la familia tenía mucho talento y su madre estaba dispuesta a explotarlo a toda costa.

La insistencia materna hizo que, con 13 años, Frances rodara una prueba para la MGM y firmase un contrato de siete años. Sin embargo, los estudios no sabían exactamente qué hacer con ella. En 1936 Garland se juntó con otra joven promesa, Deanna Durbin, para rodar el corto *Every Sunday*, y según la leyenda, Louis B. Mayer quiso echarla. Se le permitió entonces que rodase con la Fox *Locuras de estudiantes* (1936), un musical juvenil de cuyo reparto también formaba parte Betty Grable.

Roger Edens, el director musical de los estudios, apostó por Garland porque veía en ella «lo mejor que le podía pasar a los musicales de la MGM». Mayer intentaba encontrar las virtudes de aquella niña rolliza hasta que le escuchó cantar una nueva versión de *You Made Me Love You* como regalo de cumpleaños para el peso pesado de la MGM, Clark Gable. El número se incluyó en *Melodía de Broadway 1938* (1937) y, ese mismo año, rodó *Thoroughbreds Don't Cry*, una historia de carreras de caballos que supuso su primera colaboración con Mickey Rooney.

En poco tiempo, Garland se había convertido en primera figura del panorama musical, pero nadie tenía muy claro si llegaría a triunfar con una superproducción como *El mago de Oz*. La primera opción de la MGM, Shirley Temple, estaba

Derecha: Garland, con 17 años, en el papel de Dorothy en El mago de Oz *(1939).*

Página contigua: Retrato de estudio de una joven Garland.

en manos de la Fox, y el papel de Dorothy recayó en Judy, que por entonces tenía 17 años. Su brillante interpretación le valió un *oscar* especial «por su magnífica actuación como joven promesa». En la película, de 1939, también cantó la que sería su canción más célebre, *Over the Rainbow*.

Sometieron a Garland a una dieta estricta, además de suministrarle anfetaminas y somníferos. Cuando un experto en salud sugirió que necesitaba tomarse un descanso para desengancharse de los medicamentos, un ejecutivo del estudio dijo que era imposible porque «de ella dependen 14 millones de dólares».

Garland interpretó su primer papel protagonista en *Por mí y por mi chica* (1942) y dos años más tarde encabezó el reparto de *Cita en St. Louis*. Aunque le costó rodar esta última porque no quería encasillarse en papeles juveniles, la película se convirtió en uno de los mayores éxitos de la MGM. En ella interpretaba además *The Trolley Song*, otro clásico del repertorio de Garland. Con el tiempo, el director de la película, Vincente Minnelli, se convertiría en el segundo de sus cinco maridos; de aquella unión nació Liza, que daría otro *oscar* al clan por su trabajo en *Cabaret* (1972).

Arriba: Judy Garland y Mickey Rooney, que protagonizaron juntos una serie de musicales de éxito, incluidos los tres de la serie de Andy Hardy.

Abajo: Garland en el musical de la MGM Cita en St. Louis *(1944).*

Ha nacido una estrella (1954) para la Warner Brothers. La película la llevó de nuevo a un estrellato momentáneo y le valió una candidatura como mejor actriz en los *oscars*. El galardón le fue concedido a Grace Kelly por *La angustia de vivir*, en lo que Groucho Marx calificó como «el mayor robo desde el del edificio Brinks». Fue un golpe muy duro para alguien con tendencia a la depresión e inclinaciones suicidas. Garland se llevó otra decepción con *¿Vencedores o vencidos? (El juicio de Núremberg)* (1961), donde fue relegada a un papel secundario. Su última aparición en la gran pantalla fue también su primer trabajo de producción británica, *I Could Go on Singing* (1963), mediocre producción con la que terminó su carrera ante las cámaras.

El 22 de junio de 1969 la hallaron muerta en su apartamento de Londres, según la versión oficial a causa de una sobredosis accidental. Hasta poco antes de su muerte había llenado las salas de conciertos con una legión de seguidores incondicionales. Uno de ellos dijo en el *Times* que su actuación había sido «la mejor definición de la magia del teatro».

«Nací a los 12 años en un plató de la MGM.»

En 1948 coincidió con Gene Kelly en *El pirata* y coprotagonizó por primera vez un musical con Fred Astaire en *Desfile de Pascua*. Pero las cosas empezaron a torcerse al año siguiente, cuando la MGM la apartó del rodaje de *Vuelve a mí* y, tras sufrir una crisis nerviosa mientras rodaba *La reina del Oeste*, fue preciso buscarle una sustituta. Garland regresó para rodar *Repertorio de verano* (1950) antes de que expirara su contrato.

Garland retomó el teatro con una serie de conciertos en Londres y Nueva York que hicieron vibrar a sus seguidores. Este éxito rotundo llevó a su tercer marido, Sid Luft, a negociar su regreso a Hollywood para una nueva versión de

Arriba: Garland pasea del brazo de Fred Astaire en el musical Desfile de Pascua *de 1948.*

Derecha: Garland y su hija Liza Minnelli, que nació en 1946, fotografiadas en Londres en 1962.

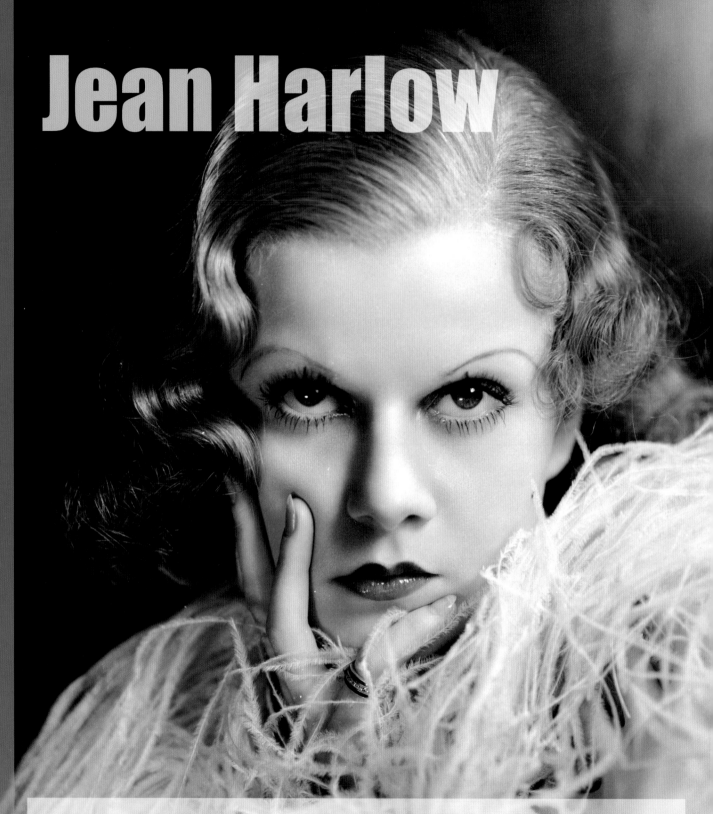

Jean Harlow

LA RUBIA EXPLOSIVA
3 DE MARZO DE 1911 - 7 DE JUNIO DE 1937

Jean Harlow fue un mito erótico que inspiró una frase afortunada: «Teniendo lo que tiene seguro que no pasa hambre». También fue una buena actriz cómica que enlazó una serie de éxitos en taquilla antes de morir a los 26 años.

Nacida en el seno de una familia adinerada de Kansas City, Jean Harlow se trasladó a Hollywood en 1923, no para hacer fortuna como niña prodigio, sino a la estela de las aspiraciones teatrales de una madre manipuladora y dominante. Cuando esta comprendió que su sueño no se materializaría, puso todo su empeño en que su hija se convirtiera en una estrella de cine. Ella fue quien decidió teñirla de rubio platino para que destacara entre las demás niñas.

A finales de la década de 1920, Harlow interpretaba pequeños papeles contratada por Hal Roach, más conocido por sus producciones de Laurel y Hardy. Impactó con *Double Whoopee* (1929) donde, al bajarse de un taxi delante de un hotel, el botones Stan le atrapa el vestido en la puerta y la deja en paños menores.

Harlow hizo su debut estelar como vampiresa en *Los ángeles del infierno* (1930), un filme de Howard Hughes ambientado en la Primera Guerra Mundial. Después llegaron varios papeles de chica mala que cuajaron más entre el público que entre la crítica. Un crítico dijo de ella que «su única virtud como actriz es que es una rubia de vértigo». Pese a todo, los hombres no podían evitar ponerse nerviosos al verla y las mujeres intentaban copiar su color de pelo. La comedia *La jaula de oro* (1931), cuyo título original era *Platinum Blonde* (Rubia platino), se tituló así para promocionar su carrera y, un año después, firmó con la MGM.

Harlow trabajó varias veces con Clark Gable, y fue precisamente mientras rodaban *Tierra de pasión* (1932) cuando encontraron muerto a su segundo marido, el productor Paul Bern, con heridas de bala. La versión oficial fue que se había

«Me gusta despertarme cada mañana con un hombre distinto.»

suicidado, pero a día de hoy aquel sonado escándalo sigue envuelto de misterio.

Con películas como *Polvorilla* (1933) y *Cena a las ocho* (1934), Harlow comenzó a disfrutar por fin del favor de la crítica y de la taquilla. Pero su vida privada era harina de otro costal. Su tercer matrimonio con el cámara Hal Rosson pronto hizo aguas, y no llegó a casarse con William Powell, su coprotagonista en el musical de 1935 *La indómita* y el último gran amor de su vida.

Jean Harlow falleció aquejada de uremia mientras rodaba *Saratoga* (1937). Al parecer, su madre, adepta de la ciencia cristiana, se negó a que se sometiera a un tratamiento que casi con toda seguridad le habría salvado la vida.

Izquierda: La rubia explosiva posa con su último gran amor, William Powell, hacia 1935.

Arriba: Vestida de gala junto a Carl Randall en La indómita *(1935).*

Página contigua: Jean Harlow en el papel de Lil Legendre en La pelirroja *(1932), una producción de la MGM.*

Grace Kelly

REINA EN HOLLYWOOD, PRINCESA EN LA VIDA REAL
12 DE NOVIEMBRE DE 1929 - 14 DE SEPTIEMBRE DE 1982

Grace Kelly, ganadora de un *oscar* y uno de los rostros más hermosos de la gran pantalla, hizo gala de un talento equiparable a su elegancia. A los 26 años dejó el cine para contraer matrimonio con el heredero de una de las monarquías más antiguas de Europa.

Grace Kelly, procedente de una familia acomodada de Filadelfia, era hija de un próspero empresario que había ganado una medalla de oro en remo olímpico. Alentada por un tío muy querido, actor y dramaturgo, al terminar los estudios Kelly puso rumbo a Nueva York para hacer realidad su vocación teatral. Estudió en la Academia Americana de Arte Dramático y trabajó como modelo para pagarse los estudios.

«Pensar que mi vida es un cuento de hadas no es más que un cuento de hadas.»

Debutó en Broadway con Raymond Massey en una producción de *El padre* de Strindberg, que se estrenó en noviembre de 1949 y estuvo dos meses en cartel. Apareció en varias obras de teatro televisadas y, en 1951, debutó en la gran pantalla con *Fourteen Hours*, aunque aceptó el papel solo por curiosidad, ya que tenía intención de retomar el teatro. El clásico del oeste *Solo ante el peligro* (1952), donde interpretaba a la novia cuáquera de Gary Cooper, no le hizo cambiar de parecer. Accedió a rodar *Mogambo* (1953) principalmente para trabajar con Clark Gable y John Ford, aunque también le seducía la idea de rodar exteriores en África. Aquel trabajo le valió una candidatura a mejor actriz de reparto en los *oscars*, y

Arriba: Kelly con James Stewart en La ventana indiscreta.

Derecha: El mundo fue testigo de la boda de Grace Kelly con el príncipe Rainiero de Mónaco en abril de 1956.

Página contigua: Kelly, la elegancia personificada, en 1955.

un año después se llevó una estatuilla por su papel de esposa del cantante alcohólico interpretado por Bing Crosby en *La angustia de vivir*. El *oscar* llegó en medio de un trío de películas que rodó para Alfred Hitchcock y Kelly se convirtió en la más reciente de la larga lista de rubias gélidas y elegantes que tanto gustaban al mago del suspense.

Conoció al príncipe Rainiero III de Mónaco en el Festival de Cine de Cannes de 1955, y la revista *Paris Match* propició un encuentro entre uno de los solteros más codiciados del mundo y una de las reinas del *glamour* de Hollywood. Se casaron un año después,

cuando Kelly dejó el cine tras interpretar a Tracy Lord en *Alta sociedad*, su undécima película. Años después corrió el rumor de que Su Alteza Serenísima podría rodar una duodécima, cuando sus tres hijos eran ya adultos. Pero lo máximo que hizo relacionado con su antigua profesión fueron algunos recitales de poesía y narrativa hasta que se interpretó a sí misma en una comedia poco antes de sufrir un fatal accidente de coche en 1982. Ella sufrió un derrame cerebral al volante; su hija Estefanía salió con vida del siniestro. Al morir Grace, el cortometraje, titulado *Rearranged*, se guardó en un cajón y nunca llegó a estrenarse.

Heath Ledger

UN ACTOR DE ÉXITO
4 DE ABRIL DE 1979 - 22 DE ENERO DE 2008

Heath Ledger se dio a conocer en 1999 con la comedia romántica *10 razones para odiarte*, una versión de *La fierecilla domada* ambientada en el mundo de los institutos de secundaria de Estados Unidos. Tras triunfar a lo grande con el que sería su primer largometraje norteamericano, Ledger habría podido encasillarse en papeles de chico guapo. Sin embargo, buscó personajes complicados que a menudo requerían transformaciones físicas que enmascaraban su físico de chico de calendario.

Heathcliff Andrew Ledger se crió en Perth (Australia). Picado por el gusanillo de la interpretación, el adolescente Ledger hizo sus pinitos en la televisión y en el cine, como en las telenovelas *Home and Away* y *Sweat*. El público norteamericano lo descubrió en la serie de televisión de la Fox *Connor, el rugido*, pero la serie fue eliminada prematuramente de la programación y pasaron dos años antes de que debutara en Hollywood interpretando al hijo de Mel Gibson, que luchaba por liberar a Estados Unidos del yugo británico en *El patriota* (2000). *Monster's Ball* (2001) le vio interpretar el papel de hijo de un Billy Bob Thornton con el que nada tiene en común, excepto el trabajo como funcionarios de prisiones. *Destino de caballero* (2001) combinaba las justas medievales con una banda sonora roquera y, al año siguiente, interpretó a Harry Faversham en una nueva versión de *Las cuatro plumas*.

> ## «Solo hago esto por diversión. El día que deje de divertirme, lo dejaré.»

Tras regresar a su Australia natal para protagonizar una nueva versión de la historia de Ned Kelly, Ledger volvió a trabajar con Brian Helgeland, el director de *Destino de caballero*, en el *thriller* religioso *Devorador de pecados* (2003). Coprotagonizó con Matt Damon el fallido drama fantástico de Terry Gilliam, *El secreto de los hermanos Grimm* (2005), pero fue elogiado por su interpretación en *Brokeback Mountain. En terreno vedado* (2005) de un atormentado vaquero casado con Michelle Williams que se siente atraído por Jake Gyllenhaal. Él y Williams obtuvieron una candidatura a los *oscars*, además de vivir un romance fuera de la pantalla que se prolongaría hasta poco antes de su muerte.

Después de interpretar a Casanova y a Bob Dylan, Ledger realizó una extraordinaria interpretación en el papel del Joker en *El caballero oscuro* (2008), de Christopher Nolan. Kevin Kline la definió como «amenazante, voluble, humorosa y diabólica» durante la noche de los *oscars*, en la que Ledger se alzó con la estatuilla al mejor actor de reparto. El premio lo recogió su familia, ya que él había aparecido muerto en su apartamento neoyorquino el 22 de enero de 2008. La versión oficial habló de una sobredosis accidental. El actor, que a sus 28 años llevaba la fama y el reconocimiento con modestia, rodaba por entonces *El imaginario del Doctor Parnassus*, de Terry Gilliam.

Arriba: En el plató del rodaje de Brokeback Mountain, *un trabajo por el que Ledger obtuvo una candidatura al mejor actor en los* oscars.

Página contigua: Ledger, fotografiado en 2005.

Bruce Lee

LA PRIMERA ESTRELLA ASIÁTICA DE HOLLYWOOD
27 DE NOVIEMBRE DE 1940 - 20 DE JULIO DE 1973

Las artes marciales y el talento para la interpretación de Bruce Lee le convirtieron en uno de los héroes de acción más taquilleros del cine a principios de la década de 1970. Rompió moldes al ser el primer actor asiático que protagonizó una película de gran presupuesto de Hollywood.

Bruce Lee rompió barreras culturales desde que nació. Vino al mundo en San Francisco, donde su padre, un respetado actor y cantante del cine y la televisión, estaba de gira con la Compañía Cantonesa de Ópera. Sus padres le llamaron Lee Jun Fan, pero sería el nombre occidental de Bruce –una sugerencia de la enfermera– con el que haría fortuna.

Pronto la familia regresó a Hong Kong, donde el enérgico y bullicioso Bruce pasó su infancia. Debido a la profesión de su padre se crió en los platós, por lo que no tardó en ponerse delante de las cámaras. Lee tenía un talento natural para la interpretación, pero también una vena beligerante y arrogante que hizo que se metiera en apuros más de

una vez en una ciudad gobernada por las bandas callejeras. Tras recibir una dura paliza, Lee aprendió artes marciales con el prestigioso maestro Yip Man. Demostró habilidad con los aspectos físicos del Wing Chun, pero le costaba asimilar la parte espiritual de esta disciplina. Tras unas cuantas peleas de más, Bruce fue despachado hacia Estados Unidos con 18 años.

Abajo: Bruce Lee y el actor norteamericano Van Williams, coprotagonistas de la serie de televisión El avispón verde, *hacia 1966.*

Página contigua: Fotograma promocional de Operación dragón *(1973) en el que Lee aparece con arañazos en el cuerpo y el rostro.*

En 1961 se matriculó en la Universidad de Washington, donde compaginó los estudios con sus ideas para crear una modalidad de artes marciales que bautizó como Jeet Kune Do. En ella confluían las tradiciones china y occidental, y Lee empezó a impartir clases a sus compañeros universitarios para complementar sus ingresos. Una de sus compañeras, Linda Emery, se casó con él en 1964. Un año después nació su hijo Brandon y, en 1969, su hija Shannon.

Primero abrió una escuela de artes marciales en Seattle y, después, otra en Oakland (California), donde se había instalado con su nueva familia. Lee llamó la atención de un productor que preparaba una serie de televisión basada en el programa de radio *El avispón verde* de la década de 1930. Le ofrecieron el papel de Kato, el compinche de Van Williams en su lucha contra la delincuencia. Se estrenó a finales de 1966, con la esperanza de repetir el éxito de público de la célebre serie *Batman*. La producción acarreó no pocos dolores de cabeza al director: los movimientos de Lee eran tan rápidos que en pantalla aparecían como un borrón. Ni siquiera ralentizándolos consiguió salvar la serie, cancelada al final de la primera temporada.

Lee fue encadenando papeles menores –intervino en la película de 1969 *Marlowe, detective muy privado*, en la que James Garner daba vida al investigador creado por Chandler– y trabajó también como coreógrafo de las escenas de acción. Sin embargo, los contratos eran esporádicos e insuficientes para subsistir, por lo que decidió volver a

«No hay límites. Solo hay altos en el camino, pero no hay que quedarse ahí, hay que seguir adelante.»

interpretar el papel de justiciero, y también ejerció de guionista y director en la siguiente, *El furor del dragón* (1972), célebre por el enfrentamiento con Chuck Norris en el Coliseo de Roma.

Las películas de Bruce Lee batieron récords de recaudación en el mercado asiático, pero la estrella seguía decidida a conquistar Estados Unidos. Mientras rodaba *Juego con la muerte*, Hollywood vino en su busca. Warner Brothers estaba al tanto de sus éxitos recientes, que se habían doblado para el mercado occidental, y estaba interesada en coproducir una película de artes marciales taquillera. *Operación dragón* (1973) fue la primera película de kung-fu financiada en Hollywood; en ella, el servicio secreto británico contrata al personaje de Lee para desmantelar una red de tráfico de drogas.

Al terminar el rodaje, Lee volvió a Hong Kong para terminar *Juego con la muerte*. El proyecto aún estaba en marcha cuando Lee tomó un analgésico para el dolor de cabeza; este le provocó una reacción alérgica que a su vez condujo a un edema cerebral. Falleció una semana antes del estreno de *Operación dragón*, a los 32 años.

Página contigua: Bruce Lee y Maria Yi en una escena del clásico del kung-fu Furia oriental *(1972), rodado en Hong Kong.*

Arriba: Una escena de Operación dragón.

Derecha: Lee fotografiado con su mujer y su hijo Brandon en 1967.

dar clases, esta vez con estudiantes de la talla de Steve McQueen y James Coburn. Quiso romper el molde de los actores chinos encasillados en papeles estereotipados con un programa de televisión de factura propia. *The Warrior*, que más tarde se emitió bajo el título de *Kung Fu*, recibió una cálida acogida. A la hora de escoger al protagonista, sin embargo, Lee no fue tenido en cuenta. Se sintió muy defraudado cuando le dijeron que un actor asiático no sería taquillero, más aún cuando fue preciso caracterizar a David Carradine para que pareciera oriental.

Abrirse camino en Estados Unidos parecía tan difícil como siempre, pero *El avispón verde* le había convertido en una estrella en Hong Kong, y allí regresó de nuevo. Su perfil subió varios enteros más con el estreno de *Karate a muerte en Bangkok* (1971), la primera entrega de una trilogía pactada con el productor Raymond Chow. En ella, Lee perseguía a una banda de traficantes de droga. El texto de los carteles publicitarios ensalzaban sus proezas físicas: «Cada parte de su cuerpo es un arma letal». En *Furia oriental* (1972) volvió a

Steve McQueen

«EL REY DE LA NEVERA»
24 DE MARZO DE 1930 - 7 DE NOVIEMBRE DE 1980

Los siete magníficos llevaron al estrellato a Steve McQueen, uno de los actores más taquilleros de Hollywood durante dos décadas. Su don para interpretar personajes rebeldes y lacónicos le convirtió en el heredero natural de Cagney y Bogart, al que sumaba un atractivo físico deslumbrante que también le consagró como uno de los grandes galanes del celuloide.

Steve McQueen tenía 30 años en 1960 cuando interpretó a Vin en el clásico del oeste de John Sturges. El camino hacia la cumbre no había sido fácil. Nacido en el seno de una familia humilde en Slater (Misuri), su padre se había marchado de casa poco después y él quedó al cuidado de una madre irresponsable. Se crió a su aire, buscando el sustento como mejor podía, y los pequeños hurtos le llevaron a ingresar en un reformatorio con 14 años. Pasó por una serie de trabajos sin futuro hasta que puso cierto orden en su vida al pasar tres años con los marines, aunque su vena antiautoritaria seguía aflorando de vez en cuando. Al licenciarse con 21 años, McQueen se instaló en Nueva York y decidió buscarse la vida como actor.

En 1955 sustituyó a Ben Gazzara en la obra de Broadway *A Hatful of Rain*, que supuso un trampolín para su carrera. Al año siguiente debutó en la gran pantalla con *Marcado por el odio*, una película de boxeo que fue el primer papel protagonista de Paul Newman y en la que McQueen hacía de matón en una breve intervención. McQueen se juró que sería una estrella más importante que Newman, y la sorda animadversión entre ambos seguía latente cuando coprotagonizaron *El coloso en llamas* 18 años más tarde.

> ## «Aún tengo pesadillas en las que soy pobre y todo lo que tengo se evapora. Ser famoso significa que esto no sucederá jamás.»

En 1958 se estrenó *La masa devoradora*, un descabellado filme de ciencia ficción que el tiempo ha convertido en película de culto; en él, el nombre de McQueen encabezaba al fin el reparto. En la misma época también participó en la dilatada serie de televisión del oeste *Randall, el justiciero*, que le consagró definitivamente. Durante este periodo de tres años en la piel del cazarrecompensas Josh Randall surgió la posibilidad de interpretar un jugoso papel junto a Frank Sinatra en el drama bélico *Cuando hierve la sangre* (1959). A raíz de

Arriba: McQueen se casó con la actriz Neile Adams en 1957. Tuvieron dos hijos y se divorciaron en 1972.

Abajo: Yul Brynner y McQueen en Los siete magníficos *(1960).*

Página contigua: McQueen en el papel del teniente Frank Bullitt en el thriller de Peter Yates.

este papel, el director John Sturges le dio la oportunidad de participar en *Los siete magníficos*: faltaba poco para que se convirtiese en el actor más taquillero del mundo.

Interpretó a un soldado psicópata en *Comando* (1962), pero obtuvo la consagración definitiva con *La gran evasión* (1963), una historia de aventuras de guerra con un reparto estelar. McQueen interpretaba al «rey de la nevera» Virgil Hilts, cuyo intento de fuga a lomos de una motocicleta constituye uno de los momentos de acción más memorables del cine. La secuencia fue idea del propio actor, que sentía pasión por estos vehículos, y rodó buena parte de las escenas sin especialistas, aunque el sentido común se impuso cuando llegó el momento de realizar un salto de más de tres metros de altura sobre una valla de alambre de espino.

Interpretó a un músico que dejaba embarazada a la dependienta Natalie Wood en *Amores con un*

extraño (1963) y a un as del póquer que intenta derrotar a su contrincante en *El rey del juego* (1965). Norman Jewison, que le dirigió en esta segunda película y en el *thriller* de tintes cómicos *El caso de Thomas Crown*, dijo que McQueen era «el único actor que estuvo de acuerdo en que le quitara líneas de diálogo». Sabía que cuanto menos decía, mayor era su efecto en la pantalla. La única vez en la que no se permitió recortar el guión fue en *El coloso en llamas* (1974): McQueen se aseguró de que él y Newman tuviesen la misma cantidad de diálogo. Más tarde hubo que dilucidar quién encabezaría el reparto, un asunto que requirió una prolongada negociación. El nombre de McQueen apareció en la parte superior izquierda del título y el de Newman a la derecha y algo más arriba para que ambos quedaran en igualdad de condiciones. McQueen no protestó, por lo que seguramente quedó satisfecho con el resultado.

Para entonces ya había interpretado a un policía de métodos poco ortodoxos en *Bullitt* (1968), recordada por una explosiva persecución automovilística por las calles de San Francisco, y había estado al otro lado de la ley en *La huida* (1972), de Sam Peckinpah. La coprotagonista de este último filme, Ali McGraw, fue su segunda esposa, aunque el matrimonio no tardó en hacer aguas. *El rey del rodeo* (1972), donde interpretaba a un jinete venido a menos, fue el trabajo del que se sentía más satisfecho, mientras que en *Papillon* (1973) volvió a rebelarse contra el sistema como el preso que escapa de la isla del Diablo.

McQueen dejó el cine durante cinco años, interrumpidos en 1978 por una aparición (con barba) en una versión cinematográfica de *Un enemigo del pueblo,* de Ibsen. En sus últimos trabajos volvió a montar a caballo en *Tom Horn* (1980) y a ponerse en la piel de un maduro Josh Randall en *Cazador a sueldo* (1980). El año en el que se estrenaron ambas películas falleció de cáncer.

Arriba: McQueen vestido para correr en Le Mans, *en 1971.*

Derecha: McQueen, acompañado aquí por su segunda esposa Ali McGraw, se dejó barba para su papel en Papillon. *La pareja coprotagonizó* La huida.

Página contigua: McQueen interpreta al capitán Hilts en La gran evasión *de John Sturges, un clásico del cine carcelario y bélico.*

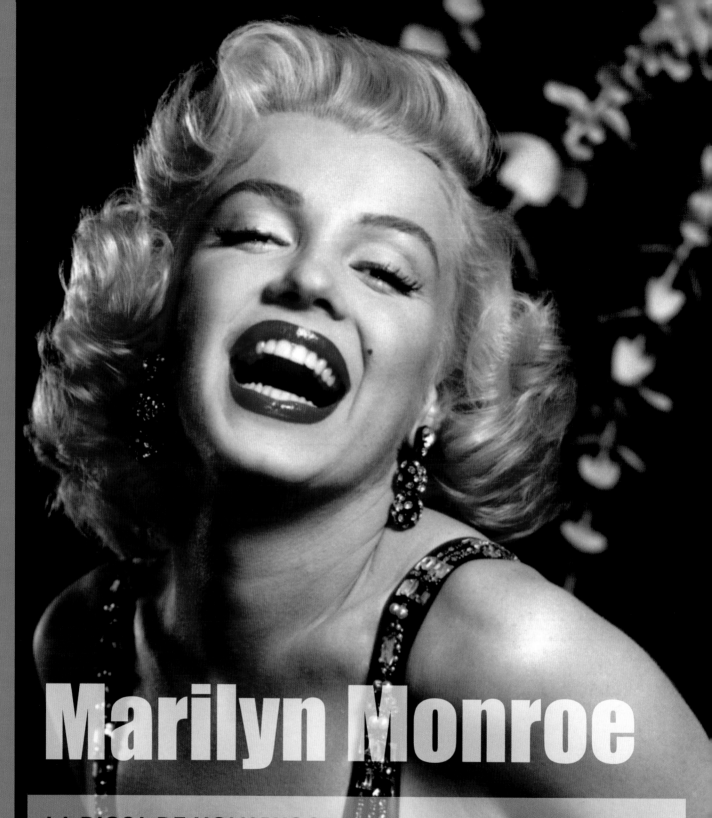

Marilyn Monroe

LA DIOSA DE HOLLYWOOD
1 DE JUNIO DE 1926 - 5 DE AGOSTO DE 1962

La industria del cine se ha distinguido por las historias de hombres y mujeres hechos a sí mismos, pero ninguna ha despertado tanto la imaginación ni ha perdurado tanto en el tiempo como la de Marilyn Monroe. Fue la rubia por excelencia del Hollywood más rutilante, un personaje irrepetible, irresistible, compuesto de atractivo sexual y de una vulnerabilidad casi infantil.

Norma Jean Baker nació en Los Ángeles, pero para aquella niña marcada por el estigma de la ilegitimidad, que conoció infinidad de orfanatos y casas de acogida, Hollywood debía de parecerle un mundo muy, muy lejano. Su madre padecía problemas mentales y la fragilidad emocional de Norma Jean se remonta a su infancia, una época en la que la estabilidad y la seguridad brillaron por su ausencia. El matrimonio a los 16 años con James Dougherty no fue la solución y, aunque aceptó algunos trabajos como modelo después de que la descubrieran mientras trabajaba en una fábrica de material aeronáutico, su carrera no acababa de despegar. Tanto Twentieth Century Fox como Columbia llegaron a tenerla en nómina, pero uno y otro estudio decidieron que no era más que otra cara bonita. No renovó con Columbia después de rodar *Ladies of the Chorus* (1948), uno de los frutos menos memorables de la época dorada de los musicales de cine. Por entonces se había cambiado el nombre y se había teñido de rubia platino, además de posar desnuda en un calendario que en poco tiempo se convertiría en material de coleccionista. Todavía tuvo un papelito ínfimo en *Amor en conserva* (1949), de los hermanos Marx, pero los papeles que le ofrecieron a partir de entonces fueron más sustanciosos, y Monroe demostró que su talento era equiparable a su atractivo físico. En 1950 su interpretación de una prostituta en *La jungla de asfalto* de John Huston recibió una buena acogida y Fox volvió a contratrarla. Esta vez estaba respaldada por la maquinaria promocional del estudio, aunque realizó algunas incursiones que pasarían sin pena ni gloria antes de triunfar en la taquilla con tres estrenos en 1953: *Niágara*, *Los caballeros las prefieren rubias* y *Cómo casarse con un millonario*. Los dos últimos trabajos revelaron su vis cómica, mientras que su papel de corista cazafortunas Lorelei Lee en *Los caballeros las prefieren rubias* le dio la oportunidad de realizar una interpretación memorable de *Diamonds Are a Girl's Best Friend* con su voz velada.

Monroe trabajó por primera vez con Billy Wilder en *La tentación vive arriba*, donde interpretaba a la mujer de los sueños de Tom Ewell. La escena en la que está de pie sobre un respiradero del metro y el aire le levanta la falda es una de las más célebres de la historia del cine, pero no contribuyó a borrar la imagen de rubia tonta que intentaba

Derecha, arriba: Monroe y Tom Ewell en La tentación vive arriba *(1955), dirigida por Billy Wilder.*

Derecha, abajo: Marilyn en el papel de la cantante de cabaré Cherie en Bus Stop *(1956), de Joshua Logan.*

Página contigua: Una de las fotografías de Marilyn que Andy Warhol inmortalizaría en una serie de serigrafías.

evitar Monroe. Su reacción fue rescindir el contrato y marcharse a Nueva York, al conocido Actors Studio, donde trabó contacto con los círculos literarios de la ciudad y conoció a Arthur Miller. Con un breve segundo matrimonio con la leyenda del béisbol Joe DiMaggio a sus espaldas,

Monroe cambió a la estrella del deporte por un peso pesado del mundo intelectual. Ella y Miller se casaron en 1956, el año en el que su papel de cantante de cabaré en *Bus Stop* demostró que era algo más que una mera actriz cómica dotada de sensualidad. Monroe tuvo que demostrar su talento

«No soy más que una niña en un mundo de adultos que intenta encontrar alguien a quien amar.»

para hacer de *partenaire* de Laurence Olivier en *El príncipe y la corista* (1957). Ellos no congeniaron –Olivier la llamó «aficionada profesional»–, pero la opinión general es que estuvo más que digna en una producción mediocre.

Monroe volvió a coincidir con Wilder para ponerse en la piel de la vulnerable intérprete de ukelele Sugar Kane en un clásico de la comedia de enredo, *Con faldas y a lo loco* (1959). El director no fue el único que se sintió encantado y furioso a partes iguales con la protagonista, que durante el rodaje hizo gala de un comportamiento bastante inconstante. Su afición a las pastillas la estaba llevando al abismo, hasta el punto de que tuvieron que hospitalizarla durante el rodaje de *Vidas rebeldes* (1961). Esta película, la última de su carrera, la había escrito Miller cuando el matrimonio de ambos también hacía aguas. La producción del siguiente trabajo en cartera, *Something's Got to Give*, se canceló cuando sus numeritos acabaron con la paciencia de los directivos del estudio. La estrella irresistible se había convertido en un lastre.

Tres meses después, la mañana del 5 de agosto de 1962, encontraron muerta a Marilyn Monroe en su casa de Brentwood. Tenía 36 años y había protagonizado 11 películas. Con antecedentes de depresión e intentos de suicidio, el juez de instrucción determinó que probablemente había muerto por una sobredosis de barbitúricos que ella misma se administró. Su relación con las altas esferas del Gobierno de Estados Unidos –tanto con el presidente John F. Kennedy como con su hermano Bobby– alimentaron algunas teorías de conspiración que siguen vigentes aún hoy. Tanto si falleció por voluntad propia o a manos de otros, lo cierto es que Monroe fue una víctima del sistema que la creó. Joe DiMaggio no quiso que la gente de Hollywood acudiera a su funeral «porque solo le habían hecho daño a Marilyn». Su historia es un testimonio del sueño americano y una moraleja sobre el poder destructor de la fama y el éxito.

Página contigua: Joe DiMaggio y Marilyn se casaron el 14 de enero de 1954 en San Francisco. Ella tardó menos de un año en pedir el divorcio.

Derecha, arriba: Marilyn posa con Arthur Miller, su tercer marido, en Londres. Miller había acompañado a su esposa a la capital británica mientras ella rodaba El príncipe y la corista *(1957).*

Arriba: Monroe, en el papel de Sugar Kane, con los coprotagonistas Jack Lemmon y Tony Curtis en un descanso del rodaje de la inolvidable comedia Con faldas y a lo loco *(1959).*

River Phoenix

ÍDOLO ADOLESCENTE Y ECOLOGISTA
23 DE AGOSTO DE 1970 - 31 DE OCTUBRE DE 1993

A mediados de la década de 1980, River Phoenix estaba considerado una de las nuevas estrellas del firmamento de Hollywood. Con un físico apolíneo equiparable a su talento, fue todo un regalo para la prensa del corazón hasta que murió de una sobredosis con 23 años.

River Phoenix se había criado en un entorno bohemio y nómada. La escuela de la vida ocupó el lugar de la educación académica y le sirvió de mucho: la gente destacaba a menudo su madurez, impropia de su corta edad.

Nació en River Jude Bottom (Madras, Oregón) y su nombre de pila hacía referencia al río de la vida de la novela *Siddhartha* de Hermann Hesse. Sus padres fueron adeptos de los Niños de Dios, una forma de cristianismo que encajaba con sus convicciones *hippies*. Su trabajo como misioneros les llevó a Venezuela, pero a finales de la década de 1970 el desencanto les llevó de vuelta a Estados Unidos. Por entonces tenían cinco hijos, incluido el hermano menor de River, Joaquin, que también triunfaría en el cine. Todos adoptaron el apellido Phoenix al embarcarse en un nuevo capítulo de su vida.

Derecha: Martha Plimpton y River Phoenix llegan a la 61.ª edición de la ceremonia de los oscars en Los Ángeles, en 1989.

Abajo: Christine Lahti y River Phoenix en Un lugar en ninguna parte.

Página contigua: Phoenix, hacia 1988.

> «Íbamos de un país a otro, adaptándonos constantemente a nuevas costumbres. Me alegro de no haberme criado en un entorno tradicional.»

Recalaron en Los Ángeles, donde River entró en el circuito de pruebas para los niños actores. Rodó anuncios y trabajó en televisión antes de debutar en la gran pantalla con la aventura de ciencia ficción para adolescentes *Exploradores* (1985). A esta siguieron *Cuenta conmigo* (1986), una historia

sobre la pérdida de la inocencia, y *La costa de los mosquitos* (1986). Esta última estaba protagonizada por Harrison Ford, con quien volvió a coincidir en *Indiana Jones y la última cruzada* (1989), donde Phoenix interpretaba al joven Indiana Jones. Para muchos, el trabajo más importante de esta primera etapa fue *Un lugar en ninguna parte* (1988), por el que obtuvo una candidatura a los oscars.

Phoenix aprovechó la fama para dar a conocer el veganismo, el trato ético de los animales y el respeto por el medio ambiente. Uno de sus últimos trabajos en el cine fue *Esa cosa llamada amor* (1993), cuya trama giraba alrededor de un grupo de músicos que intentaban abrirse camino en Nashville. Sin embargo, muchos señalaron su papel de chapero en *Mi Idaho privado* (1991) como el punto culminante de su breve, pero fulgurante, carrera.

River Phoenix estaba inmerso en un agitado rodaje cuando, el del 30 de octubre de 1993, decidió acudir a la discoteca Viper Room de Los Ángeles. Después de medianoche salió tambaleante a la calle y se desmayó. Según el informe de la autopsia, el actor, que tenía fama de llevar una vida sana, había consumido diversas drogas. La película que estaba rodando, un *thriller* titulado *Dark Blood*, no llegó a terminarse.

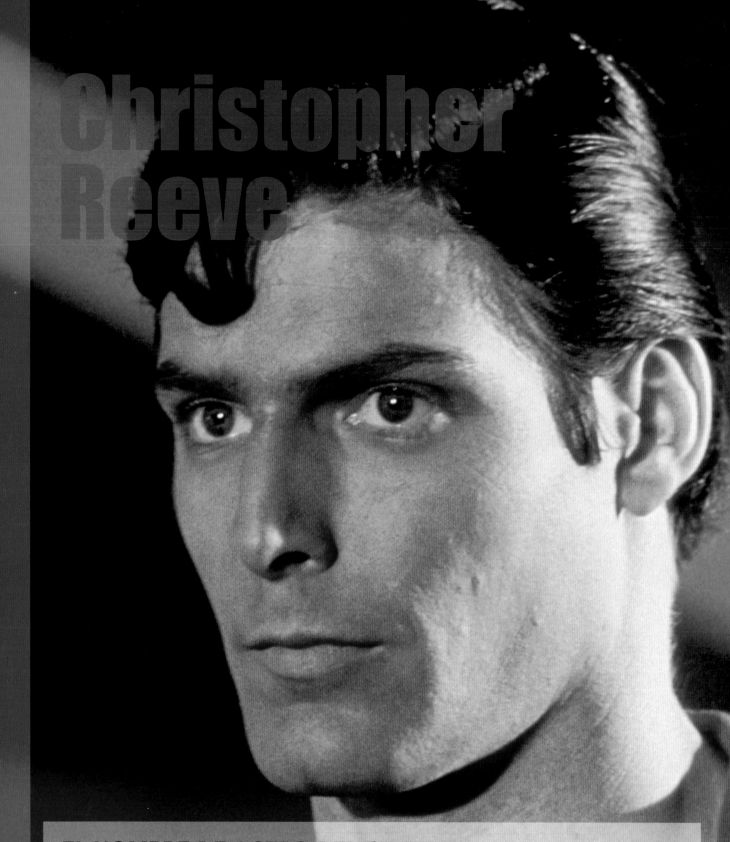

Christopher Reeve

EL HOMBRE DE ACERO DEL CINE
25 DE SEPTIEMBRE DE 1952 - 10 DE OCTUBRE DE 2004

Christopher Reeve llegó al estrellato poniéndose en la piel de un héroe de cómic invencible. Paralizado del cuello hasta los pies tras un accidente de equitación, fue motivo de inspiración por su espíritu indomable.

Neoyorquino de nacimiento, Christopher Reeve era hijo del escritor y académico Franklin Reeve y de la periodista Barbara Johnson. Descubrió su vocación teatral durante su época de estudiante en el instituto Princeton y la Universidad de Cornell, y demostró que su talento estaba a la altura de su ambición cuando le aceptaron en la prestigiosa escuela de interpretación Juilliard.

Entre sus primeros trabajos para el teatro se cuenta *A Matter of Gravity* de Enid Bagnold, donde compartió un escenario de Broadway con Katharine Hepburn. También trabajó una temporada en la interminable telenovela *Love of Life*. Reeve dio el salto a la gran pantalla con un pequeño papel en una película catastrofista de submarinos, *Alerta roja: Neptuno hundido* (1978), y era prácticamente desconocido cuando le dieron el papel de Superman en la taquillera producción homónima de ese mismo año. Con su apostura y sus casi dos metros de altura era el candidato perfecto para interpretar el papel.

Su temor a que le encasillaran le llevó a firmar proyectos muy diversos, como el drama romántico *En algún lugar del tiempo* (1980), el *thriller* de Ira Levin *La trampa de la muerte* (1982) y las películas de época del tándem Merchant-Ivory

> **«Un héroe es una persona normal y corriente que halla la fuerza para perseverar y aguantar por muy terribles que sean los obstáculos.»**

Las bostonianas (1984) y *Lo que queda del día* (1993). Reeve compaginó el cine y el teatro, donde interpretó el papel de un veterano de Vietnam parapléjico en *Fifth of July*, que se estrenó en Broadway en 1980. Quince años después de participar en la obra, Reeve, un jinete consumado y apasionado, se cayó de un caballo y se lesionó la médula espinal. Superó la depresión y se empeñó en volver a andar de nuevo, pero los progresos, cuando llegaban, eran modestos. Recuperó parte del movimiento y de las sensaciones, y con el tiempo consiguió respirar sin ventilación asistida durante largos periodos de tiempo.

En 1998 regresó a la gran pantalla en el papel del mirón atado a una silla de ruedas de la nueva versión de *La ventana indiscreta*, de Hitchcock, un papel por el que Reeve obtuvo un premio del Screen Actors Guild. Al principio se mostró preocupado por el proyecto y afirmó: «No deja de sorprenderme que, si me concentro y dejo que los pensamientos fluyan, estos se reflejan en mi rostro». Pero la principal preocupación de sus últimos años fue la lucha para que se investigaran más las lesiones de médula espinal. Cinco años después de su muerte, el presidente Barack Obama promulgó la ley que lleva el nombre de Christopher y Dana Reeve, y cuyo objetivo es mejorar la calidad de vida de los afectados y allanar el camino a la investigación científica.

Izquierda: Reeve con su esposa Dana en 1989.

Arriba: Fotografiado con Robin Williams, gran amigo y compañero de clase en la escuela Juilliard, en 1979.

Página contigua: Reeve caracterizado como Superman, el papel que le catapultó al firmamento de Hollywood en 1978.

John Ritter

EL BUENAZO
17 DE SEPTIEMBRE DE 1948 - 11 DE SEPTIEMBRE DE 2003

John Ritter se dio a conocer como Jack Tripper, el cocinero encantador y algo torpe de *Apartamento para tres*, la serie de televisión que triunfó en la década de 1970. Este magnífico cómico fue apodado *el buenazo* por su segunda esposa, Amy Yasbeck.

John Ritter llevaba el mundo del espectáculo en la sangre. Su padre, Tex, trabajó en muchas películas del oeste y era cantante, y su madre, Dorothy Fay, también era una artista consagrada que se convirtió en la «saludadora» oficial del programa de radio *Grand Ole Opry* de Nashville. John debutó en la gran pantalla en 1971 para Disney con *Un ejecutivo muy mono*. Después trabajó en la comedia *Así empezó Hollywood* (1976), la parodia bíblica *Santísimo Moisés* (1980)

Abajo: Con las coprotagonistas de Apartamento para tres, *Joyce DeWitt y Suzanne Somers, en 1978.*

Página contigua: John Ritter fotografiado en el estreno de No con mis hijas.

e incluso en el subproducto de terror *El otro* (1972). Sin embargo, Ritter triunfó en la televisión. Participó en numerosas

> «Aunque algún día llegara a descubrir la cura de una enfermedad grave, al subir a recoger el Nobel seguró que alguien pondría la sintonía de Apartamento para tres.»

series muy conocidas, como *M.A.S.H.* y *Kojak*, y como el reverendo Matthew Fordwick fue personaje habitual de *Los Walton*.

Su mejor año fue 1977, cuando se estrenó *Apartamento para tres*. La serie de tres solteros que comparten casa fue un éxito rotundo. Ritter recibió un Globo de Oro y un Emmy por su interpretación de Jack Tripper, el único hombre del grupo que se hace pasar por gay para apaciguar a un casero mojigato. En cuanto la serie se dio por terminada tras siete años en antena, Ritter interpretó al mismo personaje en la secuela *Three's a Crowd*. También tuvo éxito con otras series cómicas como *Hooperman*, fundó su propia productora y siguió con su carrera cinematográfica con trabajos como *Operación especial* (1987) y *Una cana al aire* (1989).

Gracias a su aparición en series como *Ally McBeal* y *Buffy, la cazavampiros*, Ritter pudo mantener su enorme popularidad entre el público. Además, obtuvo un premio Theater World por su papel en *The Dinner Party* de Neil Simon, que se estrenó en Broadway en el año 2000. Sin embargo, fue otra comedia de televisión la que marcó un hito en los últimos años de su carrera, *No con mis hijas*, estrenada en 2002 y en la que Ritter interpretaba a un redactor que ofrece consejo desde su columna mientras se las ve y se las desea para ejercer de padre. El actor, de 54 años, se desplomó en el estudio durante la grabación de la serie y falleció poco después en el hospital. Al principio los médicos creyeron que había muerto a causa de un infarto, pero luego se demostró que había sido por una disección aórtica.

Romy Schneider

UNA ACTRIZ MARCADA POR LA TRAGEDIA
23 DE SEPTIEMBRE DE 1938 - 29 DE MAYO DE 1982

Romy Schneider fue una de las grandes actrices del cine alemán en la década de 1950 y después se convirtió en una estrella internacional de la gran pantalla. Su vida privada estuvo marcada por la tragedia y ella murió de pena a los 43 años.

Rosemarie Albach-Retty nació en Viena. Su padre, Wolf, era un célebre actor de cine y teatro, mientras que su madre, Magda Schneider, era una conocida actriz del cine austríaco y alemán. Magda allanó el terreno de la interpretación a su hija adolescente, ya que interpretó el papel de su madre en varias películas de la década de 1950. En tres de ellas, Romy interpretó a Isabel, la emperatriz bávara del siglo xix. Conocidos como la serie *Sissi*, estos divertimentos históricos tuvieron una gran acogida, aunque Schneider intentó librarse de aquel personaje almibarado que se pegó a ella «como las gachas de avena».

Sedujo al guapísimo Alain Delon en *Amoríos* (1958), un romance que se prolongó fuera de la pantalla. La relación terminó cinco años después, cuando Schneider se enteró por una nota de que Delon la había dejado por otra mujer. Más adelante retomaron la amistad y trabajaron juntos en *La piscina* (1969) y *El asesinato de Trotsky* (1972), de Joseph Losey.

Schneider alcanzó fama internacional con *Boccaccio '70* (1962), una coproducción que incluía un episodio dirigido por Visconti en el que interpretaba a una mujer que decide pasar a la acción cuando descubre los escarceos amorosos de su marido. Ese mismo año participó en una adaptación de *El proceso* de Kafka dirigida por Orson Welles. Hollywood se dio cuenta de su potencial y la contrató para protagonizar con Jack Lemmon la comedia de enredo *Préstame tu marido* (1964) y formar parte del reparto estelar de *¿Qué tal Pussycat?* (1965).

«Tengo la sensación de haber nacido en Viena para poder vivir en París.»

Rodó buena parte de sus últimos trabajos en Francia, donde vivió muchos años y fue una actriz muy querida. Cuando el país galo organizó sus propios premios, los premios César, en 1975, Schneider inauguró el premio a la mejor actriz por su papel en *Lo importante es amar* y protagonizó *El viejo fusil*, que fue galardonada como mejor película. En 1979 volvió a recoger el premio a la mejor interpretación por *Una vida de mujer*.

El primer marido de Schneider, el director de teatro Harry Meyen, se suicidó y su hijo de 14 años falleció en 1981 tras empalarse en la verja que intentaba saltar. Su segundo matrimonio terminó ese mismo año. Schneider nunca se recuperó de aquellas estocadas del destino y un año después la encontraron muerta en su apartamento parisino. Al parecer, un cóctel de alcohol y pastillas le provocó un infarto que acabó con su vida.

En 1984, el cine francés instituyó el galardón que lleva su nombre a las actrices revelación. Algunas de las ganadoras del premio Romy Schneider han sido Juliette Binoche y Vanessa Paradis.

Arriba: Schneider con el actor francés Alain Delon poco después de que anunciaran su compromiso en 1959.

Abajo: Schneider en el papel de Sissi alrededor de 1955.

Página contigua: Retrato de principios de la década de 1970.

153

Sharon Tate

VÍCTIMA DEL LÍDER DE UNA SECTA
25 DE ENERO DE 1943 - 9 DE AGOSTO DE 1969

Sharon Tate era una joven promesa de Hollywood cuando fue brutalmente asesinada en su casa por los seguidores de Charles Manson. El cabecilla del grupo conocía a los antiguos inquilinos de la casa, que eran famosos, y con su matanza quiso desencadenar un conflicto racial. Por desgracia, Sharon estaba en el lugar equivocado en el momento menos oportuno.

Sharon Tate ganó el primero de muchos concursos de belleza antes de cumplir su primer año de vida. Su atractivo físico, su encanto y su elegancia fueron el trampolín al mundo de la interpretación, primero como extra en películas rodadas en Italia, adonde su padre,

que era oficial del ejército, estuvo destinado a principios de la década de 1960. Después llegaron la publicidad y los trabajos como modelo, aunque su talento como actriz estaba todavía por demostrar. Aun así, Filmways pensó que tenía potencial y la contrató para siete años.

Tate y Polanski se casaron en Inglaterra en 1968 y la joven candorosa y el director díscolo se convirtieron en un matrimonio de famosos muy popular. Por entonces Sharon había añadido a su filmografía la farsa *No hagan olas* (1967) y una adaptación de *El valle de las muñecas* (1967) de Jacqueline Susann. Su frustración por los papeles que le ofrecían se disipó a principios de 1969, cuando se enteró de que estaba embarazada. La pareja tenía que buscar una casa en Los Ángeles, y Tate apenas tuvo tiempo de deshacer las maletas en el número 10050 de Cielo Drive antes de embarcarse rumbo a Francia para rodar la comedia *¿Cuál de las 13?*. Regresó en julio; Polanski estaba trabajando en Londres.

El 9 de agosto, Sharon, Jay Sebring y dos invitados más se reunieron para cenar. A la mañana siguiente los encontraron muertos a los tres. En marzo de 1971, el líder de una secta Charles Manson y cuatro de sus acólitos fueron condenados por estos asesinatos y otros tres que habían cometido aleatoriamente en dos días de desenfreno asesino.

«Toda mi vida la ha decidido el destino. Nunca he planeado nada de lo que me ha sucedido.»

Para empezar, Tate trabajó en la serie de televisión *Los nuevos ricos*, donde llevaba una peluca oscura para no llamar demasiado la atención. En 1967 Filmways decidió que había llegado la hora de que diera el salto a la gran pantalla y Sharon se trasladó a Europa para interpretar, como no podía ser menos, a una joven encantadora en la película de misterio *El ojo del diablo*. Según el director, J. Lee Thompson, tenía «un gran futuro como actriz».

El terror siguió siendo la tónica en *El baile de los vampiros* (1967), en esta ocasión en clave de comedia. Sharon se enamoró del director y guionista Roman Polanski, y la actriz cortó su relación con su antiguo novio, el peluquero de famosos Jay Sebring.

Arriba, derecha: Sharon Tate y las coprotagonistas de El valle de las muñecas *en un fotograma promocional.*

Arriba, izquierda: Tate en El baile de los vampiros.

Página contigua: Roman Polanski y Sharon Tate el día de su boda, el 20 de enero de 1968, en Londres.

Rodolfo Valentino

EL GRAN LATIN LOVER
6 DE MAYO DE 1895 - 23 DE AGOSTO DE 1926

La sensualidad latente y el exotismo de Valentino ejercían un efecto irresistible en las mujeres. Cuando se instaló la capilla ardiente del actor en Nueva York, se desató la histeria colectiva y, al parecer, algunas de sus seguidoras llegaron a suicidarse.

Rodolfo di Valentina d'Antonguolla nació en Castellaneta, al sur de Italia. Empezó su vida adulta de forma modesta, primero en el ejército y después como estudiante de agricultura. A los 18 años recaló en Nueva York, donde quiso empezar de nuevo. De no ser por su talento como bailarín, habría desempeñado trabajos de poca monta y quizá se habría visto envuelto en actividades delictivas, ya que la policía no tardó en ficharle. La ligereza de sus pies le llevó al teatro y, aconsejado por un amigo, decidió probar suerte en Hollywood.

Paradójicamente, al principio su aspecto exótico fue un lastre. Empezó con pequeños papeles de personajes de baja estofa o en los que hacía gala de sus habilidades como bailarín. Interpretó al primer galán en *A Society Sensation* (1918), pero un año después fue relegado al papel de bailarín apache en *A Rogue's Romance*. Los productores no le veían madera de estrella. El entorno de Mae Murray, con el que había entablado amistad en Nueva York, abogó por su causa y Valentino flirteó con ambos sexos para dar un empujón a su carrera. Sin embargo, parecía que estaba destinado a deambular por los estudios como un actor de medio pelo.

Las cosas dieron un vuelco en 1921 con *Los cuatro jinetes del Apocalipsis*, donde interpretaba al haragán argentino Julio, convertido en héroe de guerra. También bailaba un sensual tango en la escena de la cantina que desató la locura y le llevó a lo más alto de la noche a la mañana. El director, Rex Ingram, amplió su papel cuando vio las primeras pruebas, y el nombre de Valentino subió apresuradamente hasta ocupar el primer lugar en el cartel.

> **«Las mujeres no se enamoran de mí, sino de la imagen que proyecto en la pantalla. No soy más que el lienzo en el que las mujeres pintan sus sueños.»**

Izquierda: Valentino y la actriz Natacha Rambova firman en el registro el día de su boda, el 14 de marzo de 1923.

Página contigua: Rodolfo Valentino en la aventura en el desierto El hijo del caíd.

La película reportó más de 4 millones de dólares a la Metro, y Valentino pidió un cuantioso aumento de salario a cambio. Ante la negativa de los estudios, firmó con Paramount, que se lucró con las taquilleras *El caíd* (1921) y *Sangre y arena* (1922). Valentino intentó ejercer más control creativo en *El rajah de Dharmagar* (1922), unánimemente denostada por la crítica, aunque el insinuante vestuario no defraudó en absoluto a sus fans. Acababa de rodar *El hijo del caíd* (1926) cuando falleció tras someterse a una intervención para sanar una úlcera perforada. Puede que Valentino no fuera un gran actor, pero sin duda fue toda una leyenda del cine.

Natalie Wood

UNA ESTRELLA RESPLANDECIENTE DE LA GRAN PANTALLA
20 DE JULIO DE 1938 - 29 DE NOVIEMBRE DE 1981

Criada para alcanzar el estrellato por una madre ambiciosa, Natalie Wood fue una niña prodigio que llegó a ser candidata a los *oscars*.

Los padres de Natalie Wood eran emigrantes rusos que habían llegado a Estados Unidos por separado en la década de 1930. Nicolái y María Zajarenko adoptaron el apellido Gurdin tras su boda en 1938, el año en que Natalie nació en San Francisco. María era una fanática del cine que hizo caso de la predicción de una adivina, según la cual su segunda hija sería una estrella. Desde

que nació Natalie, su madre la colmó de atenciones y le inculcó que el destino le depararía grandes cosas.

En 1943 la familia vivía en Santa Rosa (California) y, cuando llegó el equipo de rodaje de *Happy Land*, María se aseguró de que su hija de cuatro años llamara la atención. Se presentó como Natalie Wood en su siguiente aparición en la gran pantalla, *Mañana es vivir* (1946). Por entonces ya notaba el peso de la expectación que ejercía su madre. En una prueba de cámara en la que tenía que llorar, Maria arrancó las alas de una mariposa para «prepararla».

Natalie intervino en el clásico navideño *De ilusión también se vive* y en *El fantasma y la señora Muir* (ambas de 1947). Estuvo a punto de ahogarse en el rodaje de *The Green Promise* (1949), un episodio que le provocó fobia al agua.

«Estaba casi siempre rodeada de adultos. Era muy introvertida, muy tímida, hacía lo que me decían e intentaba no defraudar a nadie.»

Su papel de novia de James Dean en *Rebelde sin causa* (1955) le valió una candidatura al *oscar* como mejor actriz de reparto, y fue preseleccionada como mejor actriz protagonista por su papel en *Esplendor en la hierba* (1961). Ese mismo año también se estrenó *West Side Story*, donde interpretaba a la desventurada Julia. Aunque la doblaron en las actuaciones musicales, su interpretación fue memorable.

En 1962 se separó de Robert Wagner tras cinco años de matrimonio. Se casarían de nuevo una década después, pero durante el tiempo que estuvieron separados, Wood se casó con el productor británico Richard Gregson, una unión de la que nació Natasha.

El retrato de una dependienta embarazada en *Amores con un extraño* (1963) también mereció el reconocimiento de la Academia. Otros de sus papeles protagonistas fueron en *La reina del vodevil* (1962), *La rebelde* (1966) y la comedia de enredo *Bob, Carol, Ted y Alice* (1969). Durante su segundo matrimonio con Wagner tuvo otra hija, y sus apariciones en el cine se hicieron esporádicas. Regresó a la gran pantalla en 1979 con la película de catástrofes *Meteoro*, y ganó un Globo de Oro por la miniserie de televisión *De aquí a la eternidad*, en el papel que consagró a Deborah Kerr.

Su último trabajo fue el filme de ciencia ficción *Proyecto Brainstorm*. El fin de semana del Día de Acción de Gracias de 1981, Wood y Wagner salieron a navegar por los alrededores de Isla Catalina en su yate *Splendour*. El coprotagonista de *Brainstorm*, Christopher Walken, se unió a la excursión, durante la cual la actriz, de 43 años, se ahogó en extrañas circunstancias.

Arriba: Wood fotografiada con Robert Wagner en la época de su segundo matrimonio.

Abajo: James Dean y Natalie en *Rebelde sin causa*.

Página contigua: Fotografía promocional tomada en 1961.

Deportistas

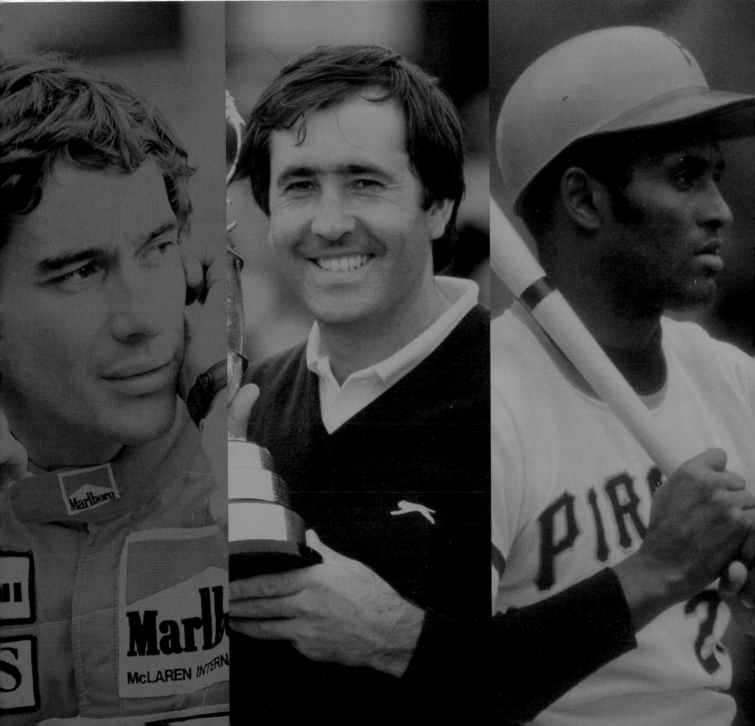

Arthur Ashe

PIONERO DEL TENIS
10 DE JULIO DE 1943 - 6 DE FEBRERO DE 1993

Arthur Ashe venció prejuicios considerables en su camino para convertirse en el primer afroamericano en llegar a la cumbre del tenis masculino. Ashe utilizó su posición para ayudar a los demás y empleó sus últimos meses en promover la conciencia sobre el sida.

Los primeros años de Arthur Ashe en Richmond (Virginia) no fueron fáciles. Perdió a su madre cuando tenía seis años y empezó a practicar un deporte en el que la segregación y la discriminación estaban muy asentadas. Ashe primero empuñó una raqueta en el campo de deportes local, que su padre vigilaba para ganarse la vida. Su juego mejoró bajo la atenta mirada de Robert Walter Johnson, un médico que se había propuesto tender la mano a jóvenes negros con aptitudes en una época en la que se les cerraban muchas puertas. Althea Gibson, que posteriormente ganaría varios torneos del Grand Slam, fue una de sus protegidas y Ashe sería su siguiente gran proyecto.

«Podemos ganarnos la vida con lo que obtenemos; pero lo que damos nos mantiene vivos.»

Se licenció en la Universidad de California en 1966, y para ese entonces ya había representado a Estados Unidos en la Copa Davis. En 1968, el comienzo de la era Open, Ashe se alzó con su primer título importante al imponerse a Tom Okker en la final del Open de Estados Unidos sobre la hierba de Forest Hills. Aquel mismo año ayudó a que Estados Unidos recuperara la Copa Davis al imponerse a Australia. Ashe tuvo que acostumbrarse a ver «primer jugador negro» en las reseñas de sus triunfos, una expresión que salió a relucir de nuevo tras sus victorias en el Open de

Australia de 1970 y en Wimbledon cinco años después. En la final de este último se impuso a Jimmy Connors, el vigente campeón y cabeza de serie del torneo, que no había perdido un solo set hasta entonces y era el gran favorito para revalidar el título.

Fue objeto de críticas cuando jugó en Sudáfrica en 1973, pues algunos integrantes de la comunidad negra estaban descontentos con su decisión de competir en un país hendido por el *apartheid*. Su erudición también lo convirtió en el candidato ideal para el puesto de presidente de la Asociación de Tenistas Profesionales (ATP).

En 1979 se sometió a una cirugía de baipás cardiaco que precipitó el final de su carrera como jugador en activo, pero pasó a capitanear un equipo que ganó la Copa Davis y trabajó incansablemente para ofrecer a los chicos de barrios marginales la oportunidad de practicar el mismo deporte que ennobleció con su presencia durante dos décadas.

En 1988 Ashe descubrió que tenía sida, y que la infección probablemente databa de una segunda intervención cardiaca cinco años atrás. El año 1988 también vio la publicación de los tres volúmenes de *A Hard Road to Glory*, obra en la que recogió de los logros de los atletas estadounidenses negros.

Página contigua: Ashe golpea de revés en Wimbledon, 1975.

Abajo: Arthur Ashe fotografiado con su compatriota Jimmy Connors, 1975.

Seve Ballesteros

MAGO DE LOS CAMPOS DE GOLF
9 DE ABRIL DE 1957 - 7 DE MAYO DE 2011

Seve Ballesteros fue el niño bonito del golf en su adolescencia, un jugador que atrajo a una nueva generación de aficionados con su audaz estilo. Era «la combinación europea de Arnold Palmer y Jack Nicklaus», según Bernard Gallacher, su capitán de la Copa Ryder.

Los aficionados a los deportes disfrutan con las estadísticas y las de Seve Ballesteros constituyen una lectura apasionante: 87 títulos, incluidos cinco trofeos importantes, seis veces ganador de la Orden de Mérito Europea, cinco campeonatos mundiales en Match Play, cinco victorias en la Copa Ryder como jugador y capitán. Y con todo, en el caso de Ballesteros esas marcas no consiguen contar toda la historia, porque se le recuerda tanto por el estilo como por la esencia de su juego.

Creció en Pedreña, una localidad situada en la costa española de Cantabria. Los ingresos de la familia procedían

«No importa donde vaya el drive mientras logres el putt.»

de la agricultura, pero el deporte corría por las venas de todos ellos, incluido un tío suyo, golfista profesional. Seve fue *caddie* en su club local y desarrolló sus habilidades en la playa hasta que consiguió la autorización oficial para utilizar las instalaciones, un honor obtenido a la edad de 12 años tras ganar el campeonato de los *caddies*.

Seve se hizo profesional en 1974, pero fue dos años después, cuando terminó segundo tras Johnny Miller en el

Abajo: Seve golpea la bola en el Campeonato Mundial de Match Play en Wentworth en 1976.

Izquierda: José María Olazábal y Seve comparten un momento de tensión en la Copa Ryder, Muirfield Village (Ohio), en 1987.

Página contigua: Seve muestra la jarra de plata en Lytham & St Annes, julio de 1988.

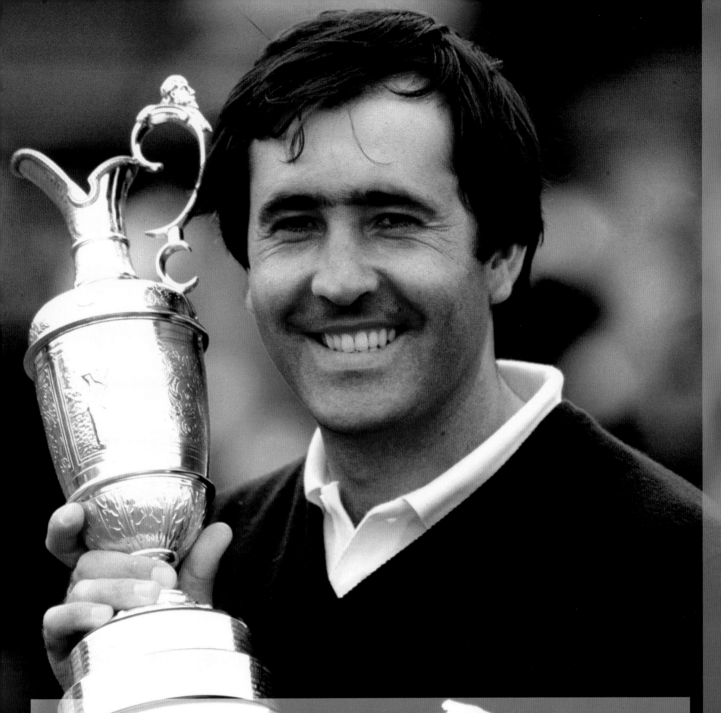

Royal Birkdale, cuando el mundo empezó a fijarse en él. Tres años después fue más allá y se alzó con su primer campeonato en el Open de Royal Lytham. Su caprichoso *drive* y sus alucinantes golpes de recuperación pudieron verse a menudo durante aquella semana: mención especial merece el *birdie* que consiguió después de que su bola diese un rodeo por el aparcamiento.

En 1980 Ballesteros se coronó campeón del Masters –con 23 años fue el vencedor más joven en Augusta hasta que Tiger Woods superó su marca– y tres años más tarde volvieron a tomarle las medidas para una nueva chaqueta verde. Los títulos en los Opens de 1984 y 1988 redondearon sus éxitos en los Majors.

Ballesteros compitió en ocho Copas Ryder entre 1979 y 1995, formando un equipo que batió records con su compatriota José María Olazábal. Fue una figura talismán y llevó a Europa a su victoria inaugural en 1985 y a un primer triunfo en suelo estadounidense dos años después. El triunfo local en el Belfry de 1989 condujo a un triplete y Seve fue parte del equipo que recuperó el trofeo en Oak Hill en 1995. También capitaneó el equipo europeo que se hizo con la victoria en Valderrama en 1997.

Ballesteros se retiró en 2007, lastrado por problemas crónicos de espalda. Un año más tarde se le descubrió un tumor cerebral y murió tres años después.

Roberto Clemente

«EJEMPLO Y GLORIA DE PUERTO RICO»
18 DE AGOSTO DE 1934 - 31 DE DICIEMBRE DE 1972

Como jardinero estrella de los Piratas de Pittsburgh, Roberto Clemente se convirtió en héroe nacional en su nativo Puerto Rico. Su prestigio aumentó aún más cuando murió en una misión humanitaria intentando ayudar a las víctimas de un terremoto.

Roberto Clemente fue un fanático del béisbol desde su infancia y aprendió a lanzar bolas como balas en los campos situados alrededor de su Carolina natal. Jugó en la liga *amateur* de adolescente y más tarde fue contratado para las filas profesionales con los Cangrejeros de Santurce. Tras un breve periodo en la cantera de los Dodgers de Brooklyn, ingresó en los Piratas de Pittsburgh en el *draft* de 1954.

Tardó un tiempo en adaptarse, pero a finales de la década Clemente era una fuerza dominante en el juego. Del famoso zurriagazo de su brazo, un comentador dijo en una ocasión que «podía interceptar la bola en Nueva York y eliminar a un tipo en Pensilvania». Con el bate era igualmente efectivo: encabezó la Liga Nacional cuatro veces, bateó un promedio de .317 a lo largo de su carrera, marcó 240 *home runs* e ingresó en el exclusivo grupo de jugadores capaces de superar la mágica cifra de 3.000 batazos.

En 1960 Pittsburgh se impuso en la Liga Nacional y venció a los Yankees en la Serie Mundial, con Clemente destacando en ambos casos. Al año siguiente ganó el primero de sus 12 Guantes de Oro por sus logros sobre el terreno

«Quiero ser recordado como un jugador que dio todo lo que tenía.»

de juego. Encabezó la liga en batazos en 1964 y 1967 y fue nombrado el jugador más valioso en 1966.

En 1971 Clemente protagonizó la victoria de los Piratas en la Serie Mundial sobre los grandes favoritos, los Orioles de Baltimore, al batear un *home run* en el encuentro decisivo y resultar elegido de nuevo el jugador más valioso del torneo.

Pese a su condición de estrella del deporte, a Clemente nunca se le subieron a la cabeza ni los halagos ni su astronómico salario. Una vez afirmó: «Cada vez que se te presenta la oportunidad de marcar la diferencia y no lo haces, estás malgastando tu tiempo en la Tierra». Demostró que no eran palabras huecas cuando Nicaragua sufrió un terremoto devastador en diciembre de 1972. Clemente ayudó a organizar vuelos de ayuda y como circulaban rumores de que la ayuda estaba siendo desviada, decidió ir en persona. El avión con su pesadísima carga cayó en el mar poco después de despegar de San Juan el día de Nochevieja. El cuerpo de Clemente nunca fue recuperado.

El béisbol honró a uno de sus jugadores más grandes admitiendo de inmediato a Roberto Clemente en el Salón de la Fama, sin atender a los habituales cinco años que todo grande del béisbol debe esperar tras su retirada. Una estatua erigida ante el estadio Roberto Clemente en su tierra nativa lleva la inscripción: «Ejemplo y gloria de Puerto Rico».

Derecha, arriba: Clemente recupera la primera base mientras Boog Powell espera la pelota, octubre de 1971.

Arriba: Clemente batea contra los Orioles de Baltimore durante el primer partido de la Serie Mundial de 1971.

Página contigua: Clemente espera su turno en el círculo del bateador en el estadio Three Rivers de Pittsburgh (Pensilvania).

Maureen Connolly

PEQUEÑA MO
17 DE SEPTIEMBRE DE 1934 - 21 DE JUNIO DE 1969

Durante el breve periodo que disfrutó en la cima antes de que una lesión fortuita terminara con su carrera, la portentosa Maureen Connolly arrasaba con todo lo que encontraba a su paso y fue la primera mujer en ganar el Grand Slam verdadero.

de fondo que le otorgarían nueve títulos de Grand Slam individuales de los 11 campeonatos que disputó. Su servicio y sus voleas eran inicialmente moderados en comparación,

> «No veo más que a mi oponente. Podrías hacer estallar dinamita en la pista de al lado y no me daría cuenta.»

Maureen Connolly era una jugadora enérgica en un armazón diminuto de 1,60 m. Sus implacables golpes en la línea de fondo vencían a oponentes más grandes y experimentados, y le valieron el apodo de *Pequeña Mo*, la versión tamaño bolsillo del acorazado *Missouri*.

Creció en San Diego y dio los primeros pasos en el juego en su club local bajo la tutela del profesional Wilbur Folsom. Fue él quien le aconsejó que jugara con la mano derecha, pues Mo había comenzado como jugadora zurda. A la edad de 14 años ya tenía en su arsenal los temibles golpes

Arriba, derecha: Mo acompañada por su entrenadora Eleanor Tennant.

Arriba, izquierda: Sin perder de vista la bola en 1953.

Página contigua: Mo de pie junto a la red en 1953.

pero esos golpes de derecha cortados, unidos a su notable concentración y sus ansias de victoria, fueron la clave de su éxito.

El juego de Connolly mejoró con los consejos de la famosa entrenadora Eleanor *Teach* Tennant, gurú para muchas estrellas de Hollywood así como para profesionales del tenis de ambos sexos. Tennant era severa, estricta y exigente, y condujo a Mo a vencer en los campeonatos de Estados Unidos de 1951. A los 16 años se convirtió en la ganadora del título más joven de la historia, al imponerse a su compatriota Shirley Fry en la final.

En 1952 Connolly y Tennant tuvieron un encontronazo en Wimbledon, porque la entrenadora quería que se retirara, pues tenía una lesión en el hombro. Mo la despidió y continuó en liza para ganar el primero de un triplete de títulos en Wimbledon. Louise Brough fue su víctima en aquella ocasión. Este triunfo en Wimbledon fue el principio de una serie de seis victorias consecutivas en los grandes torneos. Sin embargo, el año 1953 fue el verdadero *annus mirabilis* de Connolly: arrasó en los cuatro torneos del Grand Slam.

Justo antes de los campeonatos de Estados Unidos de 1954, Connolly, que contaba con 19 años, estaba disfrutando de su otra gran pasión, la equitación, cuando un accidente con un camión la dejó con lesiones en las piernas que pusieron fin a su carrera. Mantuvo su interés en el deporte como entrenadora y trabajando en los medios, y crió una familia junto a su marido. Perdió una batalla de tres años contra el cáncer la víspera de los campeonatos de Wimbledon de 1969. Tenía 34 años.

EL INTIMIDADOR
29 DE ABRIL DE 1951 - 18 DE FEBRERO DE 2001

Dale Earnhardt fue una fuerza dominante en la NASCAR durante dos décadas y fue el piloto campeón en siete ocasiones. Se había adjudicado más de 70 victorias en carreras cuando murió mientras competía en las 500 Millas de Daytona en 2001.

El hombre cuyo inflexible estilo le valió el apodo de *Intimidador* y el respeto de sus iguales creció en Kannapolis (Carolina del Norte). Su padre, Ralph, tampoco era un mal piloto y a Dale le faltó tiempo para

abandonar la escuela y seguir su ejemplo en las pistas. Comenzó su ilustre carrera de 27 años en la competición de alto nivel en 1975, pero su temporada rompedora llegó cuatro años más tarde, cuando se alzó con la

«Terminar las carreras es importante, pero correrlas lo es aún más.»

primera de sus 76 victorias, terminando la temporada en el séptimo lugar de la clasificación general y recibiendo el premio de Novato del Año. Doce meses después se embolsó el primero de sus títulos en la Copa Winston. Nunca un piloto había conquistado el título de mejor novato y la mayor distinción del deporte en un intervalo de tiempo tan breve.

Unas cuantas temporadas frustrantes siguieron a aquel triunfo, y Earnhardt bajó de los 10 mejor clasificados, algo que solo sucedió dos veces entre 1979 y 2000, su última temporada completa en competición. Pero 1986 llegó con un segundo campeonato y comenzó una extraordinaria racha en la que se hizo con el título seis veces en nueve años. En 1987 tuvo su campaña más arrolladora: Earnhardt cosechó 11 victorias en 29 carreras. Una de ellas fue en Winston, una carrera que se disputó en el Charlotte Motor Speedway, donde resistió empecinadamente los embates de su rival Bill Elliott. En un punto su coche perdió el control y se salió de la pista, pero supo rehacerse y mantuvo el primer puesto cuando volvió a la pista. El «paseo por la hierba» se ha convertido en parte de las leyendas de la NASCAR, un ejemplo excelente de la intrépida audacia que era el sello de Earnhardt.

A mediados de la década de 1990, había igualado el récord de siete campeonatos de Richard Petty. En su palmarés, con todo, había un hueco muy conspicuo: la victoria en el acontecimiento por excelencia: las 500 Millas de Daytona. Earnhardt puso fin a 20 años de espera en 1998 al cruzar en primer lugar la línea de meta con una velocidad media de 276,82 km/h. En el año 2000 fue todavía capaz de ganar el subcampeonato, pero al año siguiente Earnhardt se mató buscando su segundo título en las 500 Millas de Daytona.

Página contigua: Earnhardt fotografiado en 1985 cuando disputó el Wrangler Jeans Chevrolet con Richard Childress Racing.

Abajo: Dale Earnhardt Sr. posa con su hijo en la pista de Daytona Beach, Florida, 2001.

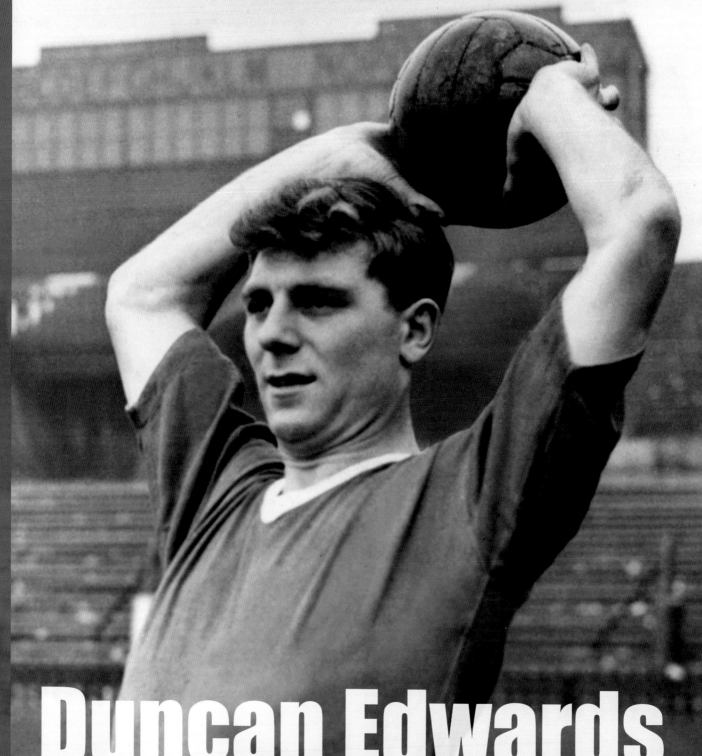

Duncan Edwards

UN EQUIPO DE UN SOLO HOMBRE
1 DE OCTUBRE DE 1936 - 21 DE FEBRERO DE 1958

La joven y deslumbrante plantilla del Manchester United de la década de 1950 parecía destinada a dominar el fútbol inglés y europeo, pero se malogró en una pista de aterrizaje de Múnich llena de nieve medio derretida.

Hay poquísimas grabaciones de Duncan Edwards en acción, por lo que cualquier valoración se basa en gran medida en el testimonio de sus coetáneos: compañeros de equipo, contrincantes, jefes y seguidores. Sorprende lo congruentes que resultan las opiniones. A decir de todos, si no era del todo un equipo de un solo hombre, sin duda era alguien capaz de destacar en cualquier posición del campo. Big Dunc no tenía puntos débiles; hábil y elegante, con cuerpo de ariete, igualmente efectivo en el corazón de la defensa o arrasando en el ataque. Su compañero de equipo Bobby Charlton, una leyenda a título propio, dijo que Edwards era el único jugador que le hacía sentirse inferior.

Creció en Dudley, una localidad en el centro industrial de Inglaterra. Además del fútbol, el baile folclórico era el principal interés del joven estudiante. Edwards pasó por las categorías inferiores a una velocidad de vértigo, ayudado por un físico portentoso. Con sus casi 1,80 m en la edad adulta, su torso cúbico y unas piernas como troncos de árbol, su estatura se antojaba descomunal.

El Manchester United consiguió imponerse en la pugna por hacerse con sus servicios, y Duncan debutó con el equipo a la edad de 16 años en abril de 1953. Pronto formó parte integrante del equipo, un jugador fundamental en el conjunto que ganó dos campeonatos consecutivos en 1956 y 1957. Estos jóvenes leones fueron apodados los Busby Babes, en alusión a su entrenador, Matt Busby.

Busby reunió un equipo que lo ganaba todo y también él destacaba a Edwards como «el jugador que lo tenía todo».

Edwards era titular internacional de Inglaterra a los 18 años. Parecía listo para seguir sumando títulos con la selección a la ya impresionante lista obtenida con su club cuando se mató en el accidente de aviación de Múnich, que segó las vidas de otros siete jugadores y terminó con la carrera de otros. Después de una parada para repostar en Múnich, el avión de BEA se estrelló en su tercer intento de despegue. Edwards padeció heridas espantosas, incluyendo un colapso pulmonar, lesiones renales y fracturas múltiples. Falleció 15 días más tarde.

«¡Dadlo todo!»

En uno de sus últimos periodos consciente, Edwards preguntó al subdirector a qué hora comenzaba el siguiente partido. Al decirle que lo haría el sábado a las tres, como siempre, Edwards, que tenía 21 años, profirió sus últimas palabras: «¡Dadlo todo!»

Arriba: Duncan Edwards entrenando en enero de 1954 después de haber sido seleccionado para el equipo sub 23 de Inglaterra con tan solo 17 años.

Página contigua: Edwards ejecuta un saque de banda, abril de 1957.

173

Lou Gehrig

EL CABALLO DE HIERRO
19 DE JUNIO DE 1903 - 2 DE JUNIO DE 1941

La leyenda del béisbol Lou Gehrig estableció numerosas marcas en una carrera gloriosa con los Yankees. También dio su nombre a la enfermedad degenerativa que segó su vida a los 37 años.

Hijo de unos inmigrantes alemanes, Lou Gehrig nació y creció en la ciudad en la que se convirtió en una gran estrella del deporte. Entró en la Universidad de Columbia con una beca de fútbol en 1921 pero, hacia el final de su segundo año académico, las habilidades de Gehrig para el béisbol habían atraído la atención de un ojeador de los Yankees. En 1925 Gehrig era ya un fijo del equipo: durante los 14 años siguientes sumó 2.130 partidos consecutivos. Las radiografías revelaron que sufrió algunas fracturas durante ese tiempo, prueba de que se merecía el apodo de *Caballo de hierro*.

En 1926 Gehrig alcanzó la importantísima marca de bateo de .300, hazaña que igualaría en cada una de las 12 siguientes temporadas. Una media de .340 en su carrera, con 493 *home runs* y un total de 1.955 carreras en su haber, lo colocaron en el peldaño más alto de las estrellas de béisbol. De entre sus muchas temporadas destacadas, se recuerda la de 1927 como un año de grandes logros personales y del equipo, con Gehrig bateando 47 *home runs*, solamente superado por su ilustre compañero de equipo Babe Ruth.

> **«Me considero el hombre más afortunado del mundo.»**

Arriba: Lou Gehrig con su compañero Babe Ruth, en 1939.

Izquierda: Gehrig en el estadio de los Yankees, en 1925.

Página contigua: Un atento Gehrig en el campo, hacia 1935.

Cuando el tiempo pasó factura a Ruth, que era seis años mayor que él, Gehrig alcanzó la auténtica gloria. En junio de 1932 bateó cinco *home runs* en un solo juego y dos años después se alzó con la Triple Corona con un promedio de bateo de .363, 49 *home runs* y 165 carreras totales. Tras la salida de Ruth después de la temporada de 1934, ocupó el estrellato junto con Joe DiMaggio en un imparable equipo de los Yankees.

La carrera ininterrumpida de Gehrig terminó cuando tuvo un bajón de forma y decidió abandonar el equipo en mayo de 1939. A las pocas semanas le diagnosticaron una enfermedad degenerativa: esclerosis lateral amiotrófica. Se le rindió homenaje en el estadio de los Yankees el 4 de julio y, en la ceremonia, Gehrig habló de forma conmovedora sobre la buena suerte que atenuaba la «mala racha» que estaba teniendo. Entró por la vía rápida en el Salón de la Fama del béisbol y su famosa camiseta con el número 4 fue retirada. Un año después de su muerte, la historia de Lou Gehrig fue relatada en la película biográfica *El orgullo de los Yankees*.

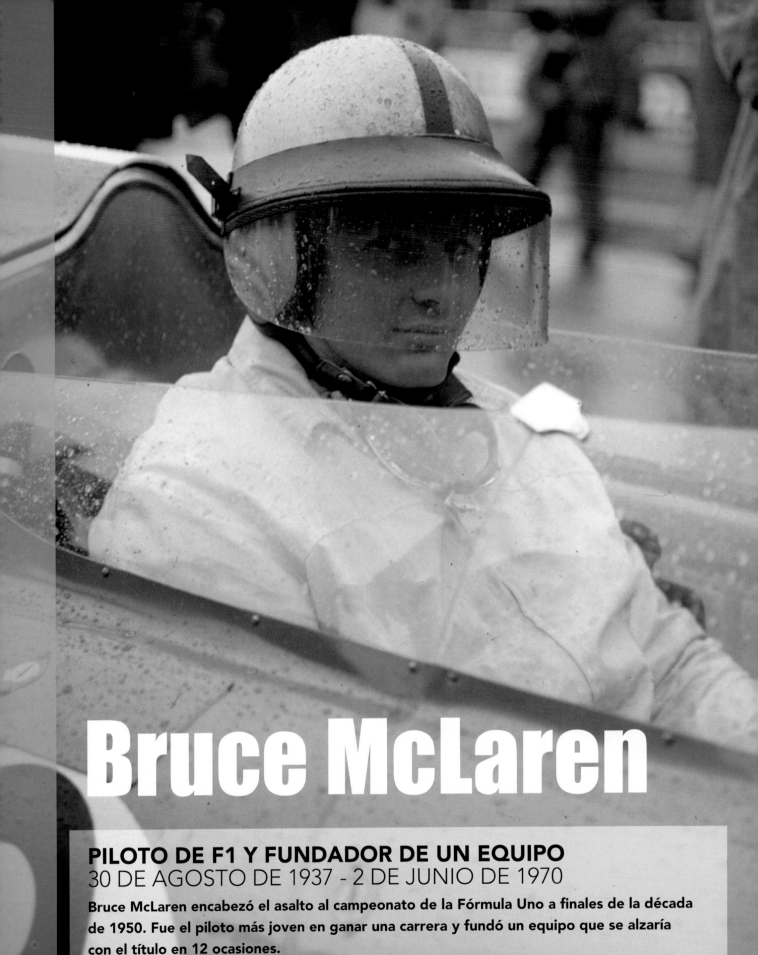

Bruce McLaren

PILOTO DE F1 Y FUNDADOR DE UN EQUIPO
30 DE AGOSTO DE 1937 - 2 DE JUNIO DE 1970

Bruce McLaren encabezó el asalto al campeonato de la Fórmula Uno a finales de la década de 1950. Fue el piloto más joven en ganar una carrera y fundó un equipo que se alzaría con el título en 12 ocasiones.

«Hacer algo bien merece tanto la pena que morir en el intento de hacerlo mejor no puede ser una insensatez.»

Bruce McLaren, nacido en Auckland (Nueva Zelanda), llevaba la velocidad en la sangre: su padre, dueño de un taller mecánico, competía sobre dos ruedas. En su infancia tuvo que superar la enfermedad de Perthes, una afección degenerativa de la articulación de la cadera que lo mantuvo con dispositivos de tracción durante un largo periodo y le dejó una cojera. Se inició en las competiciones de motor con carreras de montaña, pasando luego a competir en pruebas de circuito que compaginaba con sus estudios de ingeniería.

Tras labrarse un nombre en su país natal, McLaren obtuvo una beca que lo llevó a Europa cuando tenía 20 años. Asumió con naturalidad el ascenso de nivel y firmó con Cooper para competir en la categoría de élite en 1959.

Su compañero de equipo, el también australiano Jack Brabham, se llevó el título ese año, pero McLaren obtuvo su primer triunfo en el primer Gran Premio de Estados Unidos, celebrado en Sebring (Florida). A los 22 años y 104 días fue el ganador más joven de una carrera en la historia de los campeonatos, una marca vigente hasta la victoria de Fernando Alonso en Hungría en 2003.

Ese primer éxito ayudó a Mclaren a auparse a un muy respetable sexto lugar en su primera temporada en la élite. Un año después fue subcampeón; tan solo Brabham, más experimentado, se interpuso entre él y la corona. Después de que su amigo y mentor se marchara en 1962 para establecer su propio equipo, McLaren se convirtió en el piloto número uno de Cooper. Al final de la temporada de 1965, tras perder varios puestos en la clasificación, McLaren también decidió atacar por su cuenta. Creó Bruce McLaren Motor Racing Ltd en 1963 y ganó la Tasman Series. También se alzó con la victoria en Le Mans en 1966, pero el camino hacia el éxito en la F1 con su escudería fue mucho más largo y difícil. El punto de inflexión llegó en 1968 con los motores Cosworth, que dispararon a McLaren a su cuarta victoria –y el primer triunfo del equipo– en el GP de Bélgica. Su compañero de equipo Denny Hulme añadió dos más para dar a McLaren un segundo lugar en el campeonato de constructores.

Una puntuación consistente colocó a McLaren en el tercer puesto en la carrera por el título de 1969. Había competido en tres circuitos del campeonato de 1970 cuando se mató en Goodwood mientras hacía pruebas para la Can-Am Series, que los McLaren habían dominado.

Abajo: Bruce McLaren en su McLaren M7A con motor Cosworth en el GP de Estados Unidos, Watkins Glen, 1968. El equipo obtuvo aquella temporada el segundo lugar en el campeonato de constructores.

Página contigua: Al volante en 1970.

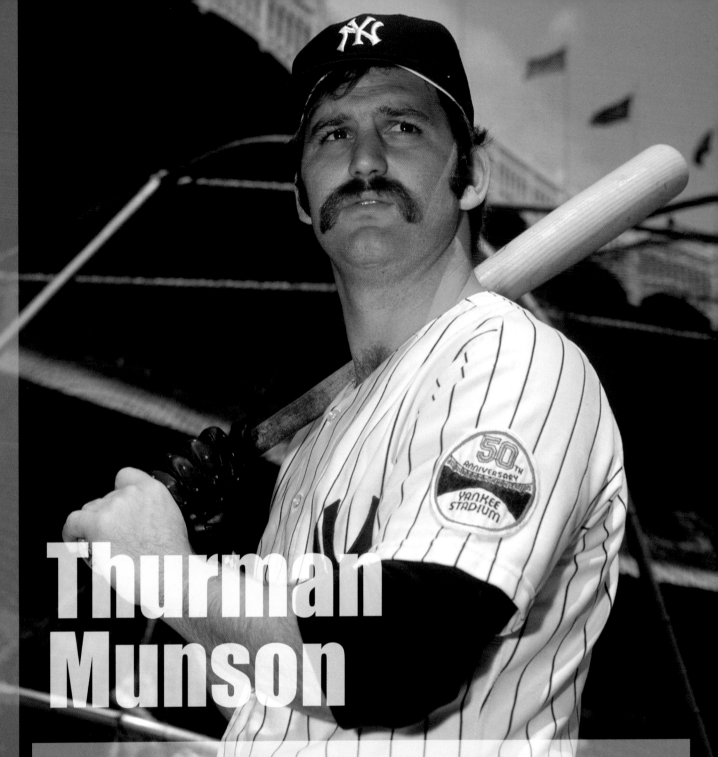

Thurman Munson

EL CAPITÁN FANTÁSTICO DE LOS YANKEES
7 DE JUNIO DE 1947 - 2 DE AGOSTO DE 1979

Thurman Munson, el receptor por antonomasia, entró en un mediocre equipo de los Yankees de Nueva York en 1968. Los días de gloria volvieron con su liderazgo inspirador y el nombre de Munson ha pasado a ocupar lo más alto.

Akron (Ohio) fue el lugar donde nació una leyenda del béisbol. Thurman Munson era un atleta muy versátil, pero se centró en el béisbol durante su estancia en la Universidad Estatal de Kent. En su último año de carrera entró en la selección universitaria estadounidense y los Yankees decidieron reclutarlo en el *draft* de 1968.

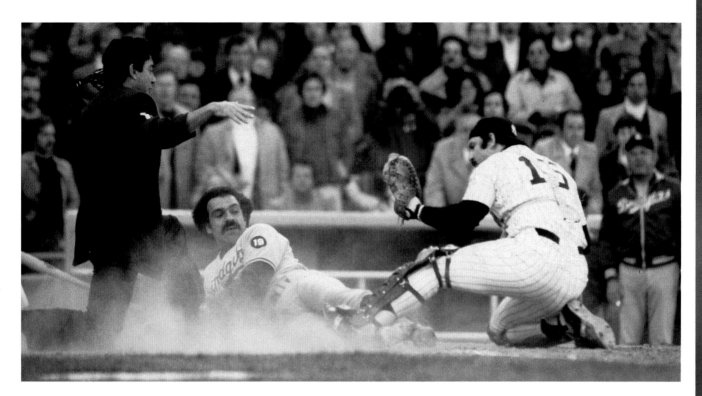

En un lapso de dos años sus proezas le valieron el premio de Novato del Año de la liga americana. Durante sus primeras cuatro temporadas alcanzó la marca de bateo de .300 y, tras reclamar para sí el puesto de receptor, pasó a ganar tres Guantes de Oro consecutivos.

Después de que George Steinbrenner comprara los Yankees en 1973, se ficharon nuevos talentos con la intención de crear un equipo capaz de disputar todos los títulos. Pero Munson era el alma del equipo. Era un ganador nato con cualidades propias de un gran líder. Ello le fue reconocido cuando le hicieron capitán del equipo en 1976. En muchos aspectos era un título honorífico, una posición que había estado vacante desde que Lou Gehrig se retiró en 1939. Munson aceptó el testigo y siguió liderando con el ejemplo. El 1976 fue su mejor año hasta ese momento: media de .302 y 105 carreras impulsadas, unas cifras que le valieron el codiciado premio de Jugador Más Valioso.

Munson desempeñó un papel clave en los tres títulos consecutivos de la Liga Americana conquistados por los Yankees. Fue uno de los protagonistas del partido decisivo en la Serie Mundial frente a los Rojos de Cincinatti en 1976. En los dos años siguientes los Yankees vencieron a los Dodgers de Los Ángeles, sus primeras victorias en la Serie Mundial desde 1962.

Munson obtuvo la licencia de piloto para poder pasar el mayor tiempo posible con su familia en Canton (Ohio). Sin embargo, el 2 de agosto de 1979, mientras probaba su Cessna bimotor, la avioneta se estrelló mientras intentaba

> **«Me gusta una buena media de bateo, pero lo que hago cada día fuera de la caja de bateo es mucho más importante porque afecta a mucha más gente y a muchos más aspectos del juego.»**

aterrizar en el aeropuerto de Akron-Canton. Munson, que tenía 32 años, sobrevivió al impacto, pero quedó atrapado en el aparato, que estalló en llamas.

Las reacciones durante los discursos de despedida en el siguiente partido de los Yankees recordaron las emotivas escenas sucedidas 40 años antes cuando Gehrig se dirigió al público después de que saltara a las noticias su enfermedad terminal; pero en esta ocasión la multitud rompió en un aplauso espontáneo en lugar de mantener el habitual silencio solemne.

Página contigua: Munson posa para una fotografía en el estadio de los Yankees, hacia 1969.

Arriba: Munson no logra atrapar a Davey Lopes, de los Dodgers de Los Ángeles, que se desliza hacia la base final durante la Serie Mundial, octubre de 1977.

Ayrton Senna

MAESTRO DEL AUTOMOVILISMO
21 DE MARZO DE 1960 - 1 DE MAYO DE 1994

Comparar a los grandes del deporte a través de los años es una tarea imposible, pero para muchos seguidores del automovilismo Ayrton Senna es una categoría en sí mismo. Unas dotes naturales prodigiosas y una extraordinaria voluntad de ganar crearon a su alrededor un aura de invencibilidad tal que su muerte fue recibida con absoluto desconcierto.

El joven Senna, que creció en un próspero barrio residencial de las afueras de São Paulo, se vio atraído por los automóviles a temprana edad y, en cuanto comenzó con el *karting*, mostró que sus aptitudes eran acordes a su interés. Brasil tuvo a su primer campeón del mundo, Emerson Fittipaldi, el año en que cumplió 12, y emular ese logro pronto se convirtió en el objetivo de la vida de Senna. Después de convertirse en campeón nacional de *karting* y quedar a un paso de conseguir la corona mundial, Senna accedió a la Fórmula Ford en 1981 con el equipo británico Van Diemen. Dos años más tarde pasó a las filas de la Fórmula 3, donde luchó toda la temporada con la esperanza británica Martin Brundle antes de hacerse con el título en la última carrera. La categoría reina ya esperaba al joven piloto del momento en el circuito. Senna hizo pruebas para Brabham, algo que no hizo mucha gracia al primer piloto del equipo, el también brasileño Nelson Piquet, y terminó firmando con Toleman, un equipo más modesto. Hubo frustración inicial porque los medios mecánicos puestos a su disposición no estaban a la altura de su tarea, pero hubo atisbos de lo que estaba por venir: cabe destacar la prueba disputada en Mónaco, donde estaba presionando al líder de la carrera Alain Prost cuando el mal tiempo motivó la interrupción prematura de la prueba. Aquel segundo lugar con un coche de segunda categoría ante otros 12 pilotos fue todo un logro, pero Senna ambicionaba mucho más. Para ello sería necesario un cambio a un equipo más competitivo y una cláusula de rescisión de su contrato facilitó el traslado a Lotus. Pronto ocupó la parte superior del podio con una primera victoria en el Gran Premio de Portugal de 1985; aquella misma temporada consiguió también imponerse en Spa.

Después de terminar tres veces entre los cuatro primeros del campeonato de pilotos –dos de ellos ganados por Alain Prost para McLaren– Senna entró en ese equipo en 1988. Él y Prost no congeniaban, y comenzó una larga y amarga rivalidad. Senna sumó ocho victorias y se hizo con su primera corona mundial superando a Prost por tres puntos. En 1989 intercambiaron puestos en una temporada en la que se vio lastrado por continuos fallos mecánicos. Pero incluso con la mala suerte a cuestas conservaba una oportunidad remota de retener el título a falta de dos carreras. La primera de ellas fue el GP de Japón disputado en Suzuka, donde su coche y el de Prost se engancharon y acabaron fuera de pista.

Derecha, arriba: Líder de la carrera en Mónaco, en 1993.

Derecha, abajo: Senna celebra su victoria en el GP de Brasil, en 1991.

Página contigua: Prueba de pretemporada, Imola, en 1991.

Senna volvió a la carrera y cruzó la meta en primera posición, pero fue descalificado. El campeonato se le había escapado, pero tuvo el consuelo de superar la marca de Jim Clark de 33 *pole positions*, cifra que antes de morir aumentaría hasta unos asombrosos 65 primeros puestos en la parrilla de salida.

Prost abandonó Ferrari en la temporada de 1990, lo que añadió más morbo a la competición. Senna obtuvo su revancha en otra carrera de poder a poder, de nuevo con Japón como escenario de un controvertido incidente. Un toque en la primera curva sacó a ambos pilotos del circuito y

«Ser el segundo es ser el primero de los que han perdido.»

dejó al brasileño con una ventaja insuperable en el campeonato. Más tarde admitió que había buscado conscientemente la colisión, mostrando que su habilidad al volante estaba respaldada por una despiadada mentalidad de ganador.

Senna había conseguido tres títulos en cuatro años en 1991, derrotando a los dos coches de Williams. Williams tomó el relevo al frente de la parrilla, mientras McLaren

sufrió al haber perdido a Honda como proveedor de motores. Senna todavía logró cinco victorias y el subcampeonato en 1993, por detrás su astuto adversario Prost, que había entrado en Williams para una temporada de despedida. Una de esas victorias sucedió en Mónaco, la quinta consecutiva en el famoso circuito urbano, toda una marca.

Senna heredó el puesto de Prost en Williams en 1994. Obtuvo la *pole position* en las dos primeras carreras, pero no pudo terminar ninguna. La siguiente cita fue en el GP de San Marino en Imola, donde Senna ya se había anotado tres victorias. Todo apuntaba a un cuarto triunfo cuando volvió a colocar a Williams en la *pole*. Cuando la carrera se reanudó después de un accidente temprano, el coche de Senna impactó contra un muro de hormigón en la curva de Tamburello. El impacto fue enorme, pero podría haber sobrevivido si parte de la suspensión no hubiera salido volando y le hubiera dado un golpe mortal en la cabeza.

Senna se impuso en 41 de las 161 carreras que disputó, una proporción notable si consideramos que no estuvo siempre, ni mucho menos, en el mejor coche. Y aunque Michael Schumacher consiguió superar su marca total de *poles*, lo hizo en un lapso de tiempo mucho más largo.

Página contigua, arriba: Senna y Prost caminan de vuelta a los boxes después de su colisión al principio del GP de Japón de 1990.

Página contigua, abajo: Senna y su rival Prost comparten el podio en Adelaida en 1993.

Abajo: Senna da un sorbo a su bebida antes del inicio de la mortal carrera de Imola, mayo de 1994.

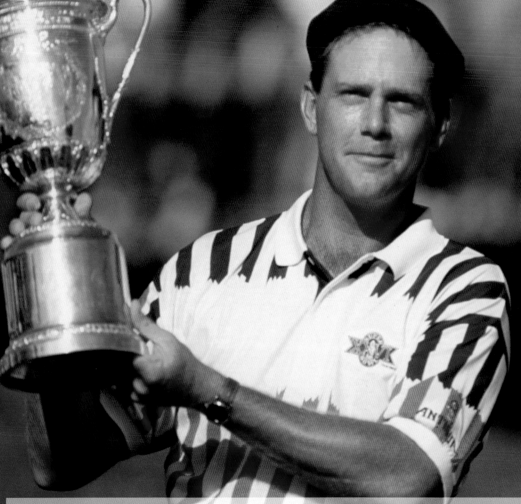

Payne Stewart

DANDI DEL GOLF
30 DE ENERO DE 1957 - 25 DE OCTUBRE DE 1999

Con sus bombachos cortos y su gorra escocesa, Payne Stewart parecía alguien salido de una época pasada. Detrás de su extrovertido atuendo y su travieso sentido de la diversión se ocultaba un avezado competidor que ganó tres de los grandes torneos.

William Payne Stewart nació en Springfield (Misuri), hijo de un elegante jugador *amateur* que le enseñó los rudimentos del juego. Después de licenciarse en la Universidad Metodista del Sur en Dallas con un título en administración de empresas en 1979, el bullicioso Stewart dio el salto profesional y empezó a jugar en el circuito asiático. Fue parte de un proceso de aprendizaje que en 1982 le permitió obtener una tarjeta en el PGA Tour, y que también le dio satisfacciones personales, puesto que conoció a su futura esposa.

Ganó el primero de sus 11 títulos PGA en 1982. Después de una serie de segundos puestos, ganó el Clásico de Bay Hill de 1987 y donó los 108.000 dólares del premio a un hospital de Florida.

Una espléndida remontada en el campeonato PGA de 1989 celebrado en Kemper Lakes (Illinois) otorgó a Stewart su primer título de los *majors*. A falta de disputarse la última ronda, Mike Reid le aventajaba en seis golpes en el cómputo global. Dos años después, se impuso a Scott Simpson en un desempate a 18 hoyos para alzarse con el título del Open de Estados Unidos en Hazeltine, aprovechando de nuevo una espectacular arreón final.

Stewart reconocía que durante algún tiempo se había dejado ir, pero consiguió volver a centrarse para ofrecer una de las imágenes más imperecederas del golf en el segundo campo de Pinehurst en 1999. El *putt* de 4,5 m con el que venció a Phil Mickelson y se hizo con su segundo Abierto de Estados Unidos ahuyentó el recuerdo del año anterior, en el que sumó una descorazonadora lista de segundos puestos. Su pose sobre una sola pierna y con el puño apretado fue inmortalizada en bronce.

«Si al final del día no puedes dar la mano a tus contrincantes y conservar su amistad, entonces es que no has entendido nada.»

En octubre de aquel año se sumó a la lucha por la Copa Ryder en Brookline, su quinta aparición en dicha competición desde 1993. Con la victoria asegurada para Estados Unidos, se dio por vencido de buena gana en el partido individual con Colin Montgomerie en el último *green*.

Semanas después de ese triunfo, Stewart se mató durante un vuelo de Orlando a Dallas. El Learjet privado en el que viajaba sufrió una despresurización catastrófica que sumió en la inconsciencia a todos los que estaban a bordo. El avión continuó con el piloto automático y se estrelló en un campo de Dakota del Sur tras consumir todo el combustible.

Stewart, uno de los personajes más llamativos del juego, es recordado con un premio anual que lleva su nombre.

Derecha, arriba: Stewart comprueba la línea de su putt durante el Open de Estados Unidos, 1991.

Derecha, abajo: El partido individual del último día en la Copa Ryder de Kiawah Island (Carolina del Sur), 1991.

Página contigua: Stewart sostiene el trofeo en alto después de ganar el Open de Estados Unidos en el Club de Golf Nacional Hazeltine en Mineápolis (Minnesota), 1991.

Maria Callas Fats Wall
Jacques Brel George Ger
Billie Holiday
Charlie Parker Édith Piaf Na

Músicos: jazz, música clásica y country

<code>twin</code>
<code>ing Cole</code>

Bix Beiderbecke

UN PORTENTO DEL JAZZ
10 DE MARZO DE 1903 - 6 DE AGOSTO DE 1931

Bix Beiderbecke fue pianista y compositor, además de un corneta sin igual. En la época dorada del *jazz* fue uno de los pocos músicos blancos elogiado por los negros.

Una de las composiciones más célebres de Leon *Bix* Beiderbecke es *Davenport Blues,* en referencia a su ciudad natal en Iowa. Si es cierto que el *blues* nace de la angustia, a Bix no le faltaron motivos de inspiración, ya que

> **«Una de las cosas que me gustan del jazz es no saber qué va a suceder a continuación.»**

sus inclinaciones musicales enturbiaron su relación con sus padres de clase media. Al parecer, uno de los motivos de que le enviaran a la Lake Forest Academy de Illinois fue apartarlo del *jazz*. Pero no funcionó, ya que le expulsaron –su afición al alcohol ya era evidente– y siguió su vocación. Ni siquiera cuando trabajó con algunas de las

Abajo: Bix Beiderbecke (primero por la derecha) posa con su orquesta, The Wolverines.

Página contigua: Bix posa con su corneta alrededor de 1925.

orquestas más célebres del país logró limar asperezas con la familia. Durante una de sus visitas a casa para recuperarse descubrió que los discos que había enviado estaban guardados y sin estrenar.

Beiderbecke era prácticamente autodidacta y le costaba repentizar las partituras. Tocaba la corneta con una digitación muy poco convencional, y hay quien dice que en ese estilo poco instruido estaba la clave de su originalidad. Un coetáneo describió su sonido como «el disparo de balas contra una campana». Después de escucharle, Louis Armstrong dijo: «Aquellas benditas notas me llegaron al corazón». Llegaron a tocar juntos en privado, pero en la época de la segregación racial no podían grabar ni actuar juntos.

Bix se dio a conocer en 1924, cuando tocaba con The Wolverines, y sus solos adornaron discos de la talla de *Jazz Me Blues*. Después tocó con la orquesta de baile de Jean Goldkette, una de las bandas de músicos blancos más importantes del país, y en 1927 se unió al grupo del rey del *jazz* Paul Whiteman. Al mismo tiempo, Bix tocó y grabó con otros grupos, a menudo con el saxofonista Frank Trumbauer. *I'm Coming, Virginia* y *Singin' the Blues* datan de esta época y demuestran su inventiva melódica.

Con su alcoholismo fuera de control, Bix dejó a Whiteman en septiembre de 1929. Su salud estaba tan deteriorada que entraba siempre a destiempo, y eso si llegaba a presentarse a la actuación. Se cuenta que en una partitura alguien incluyó la indicación «Despertar a Bix». Las esperanzas de que se recuperara y volviera a la orquesta fueron en vano. Su estilo de vida disoluto aceleró su muerte, a los 28 años, en un apartamento decrépito de Nueva York. Poco conocido fuera de los círculos jazzísticos cuando murió, con el tiempo Bix ha ido adquiriendo rango de leyenda. Louis Armstrong dijo que muchos intentaron imitar su estilo pero nadie lo consiguió.

Jacques Brel

CANTAUTOR FRANCÉS
8 DE ABRIL DE 1929 - 9 DE OCTUBRE DE 1978

Jacques Brel escribió y cantó emotivas canciones capaces de estremecer al público. Es uno de los cantantes en francés más conocidos y, 30 años después de su muerte, sigue vendiendo miles de álbumes.

Muchos de los seguidores de Brel creen que era francés, pero Jacques Romain Georges Brel nació y se crió en Bélgica. Brel parecía destinado a trabajar en el negocio familiar de embalajes, pero no demostró ningún interés ni aptitud para las tareas administrativas. Lo que de verdad le gustaba era escribir e interpretar canciones, pese a la desaprobación familiar. En 1953 realizó su primera grabación, y un cazatalentos de la discográfica Philips le invitó a París. Aunque estaba casado y tenía dos niños pequeños, Brel lo dejó todo y se fue a trabajar a Francia.

«Ser burgués es optar por cierto tipo de materialismo. Es una especie de mediocridad de espíritu. Es todo lo que no me gusta.»

Al principio le costó abrirse camino en el mundo de la canción, pero en 1955 su familia pudo reunirse con él en París. En 1957 se dio a conocer ante el gran público con su segundo álbum, *Quand on n'a que l'amour*, gracias al éxito del tema de idéntico título. Le siguieron otros álbumes, y en los años siguientes Brel realizó una larga serie de giras que le llevaron a la antesala del estrellato internacional. Mientras tanto, su familia había regresado a Bélgica y él se había embarcado en una serie de aventuras sentimentales, al parecer con el beneplácito de su mujer.

Arriba, izquierda: Jacques Brel disfruta cantando entre bambalinas en el Olympia de París, hacia 1958.

Arriba, derecha: Brel visita el Festival de Cine de Cannes en mayo de 1972.

Página contigua: Pasando el rato, hacia 1970.

Las canciones de Brel no estaban escritas para ser cantadas, sino más bien interpretadas. Exploró temas complejos como el amor y el desamor, la religión y la sociedad. Su relación de amor-odio con su país de origen le llevó a escribir *Le plat pays*, un sentido homenaje a los cielos bajos y la belleza melancólica del paisaje belga, pero también *Les Flamandes*, que evoca a las flamencas con cierto desprecio.

En 1966 Brel decidió dejar de cantar y ofreció una serie de emotivos conciertos de despedida. En los años posteriores se dedicó a la interpretación, y participó en varias obras de teatro y películas. En 1974 compró un yate, con el que navegó hasta las islas Marquesas y decidió quedarse allí. Poco después le diagnosticaron cáncer de pulmón y supo que le quedaba poco tiempo de vida. En 1977 regresó a París para grabar un nuevo álbum con material escrito en las Marquesas del que se encargaron más de un millón de copias antes de que saliera a la venta. Al año siguiente, su salud empeoró y regresó de nuevo a Francia. Falleció en París, pero fue enterrado en las Marquesas.

Maria Callas

LA DIVINA
2 DE DICIEMBRE DE 1923 - 16 DE SEPTIEMBRE DE 1977

Su voz causó división de opiniones, pero su talento musical y teatral convirtieron a Maria Callas en la diva más célebre del siglo xx.

Maria Kalogeropoulou nació en Nueva York, hija de inmigrantes griegos que simplificaron su apellido a Callas para que resultara más fácil de pronunciar. Maria tenía una voz prodigiosa y en 1937 su madre, Evangelia, regresó a Grecia con ella y su hermana para que recibiera formación musical. Callas estudió en el conservatorio de Atenas, donde recibió clases de Elvira de Hidalgo, una de las grandes sopranos de la década de 1920.

Debutó profesionalmente en 1940 y adquirió un gran prestigio en la Ópera de Atenas durante la guerra. Su carrera despegó al volver a Estados Unidos, donde impresionó tanto al tenor Giovanni Zenatello que este le consiguió un contrato con el Arena de Verona, donde interpretó *La Gioconda* de Ponchielli. También encontró el amor junto al industrial italiano Giovanni Battista Meneghini, con quien se casó en 1949.

El director de su debut italiano en Verona fue Tullio Serafin, que enseguida vio su potencial. Más adelante, cuando los aficionados a la ópera pusieron en duda la calidad de su voz, Serafin dijo que era el sonido más hermoso que había escuchado nunca porque siempre era verdadero. Arropada por Serafin, Callas interpretó a Isolda, la princesa irlandesa del *Tristán e Isolda* de Wagner, y a la protagonista homónima del *Turandot* de Puccini. Con estos papeles, y los de Aida y Brunilda, demostró su maestría a la hora de imprimir una gran carga dramática a los personajes. Dejó boquiabierto al mundo operístico en 1949, cuando se puso en la piel de Elvira en *Los puritanos* de Bellini solo una semana después de interpretar a Brunilda en *La valquiria*. Con un estilo espectacular, Callas demostró que dominaba tanto los papeles de las grandes heroínas como los de las protagonistas más coloristas de los maestros del *bel canto* Bellini, Donizetti y Rossini. Con el tiempo se centró en estas últimas y, de hecho, fue una pieza clave para revitalizar el *bel canto* en la posguerra.

Derecha, arriba: Callas actuó y grabó con el tenor Giuseppe di Stefano en varias ocasiones.

Derecha, abajo: Con Aristóteles Onassis en 1961.

Página contigua: Gracias a su magnífico talento musical y teatral, Callas fue apodada la Divina.

En concreto, Maria Callas fue célebre por su interpretación de los personajes principales de *Norma*,
de Bellini, *Medea*, de Cherubini y *Ana Bolena* y *Lucia
di Lammermoor*, de Donizetti. Completó su repertorio con óperas tempranas y del periodo intermedio de
Verdi. Gilda y Violetta, de *Rigoletto* y *La traviata*, respec-
tivamente, fueron dos de sus papeles fetiche. Tras una

representación de esta última en el Covent Garden de
Londres en 1958, un crítico se deshizo en elogios sobre su
interpretación: «Por el control con el que modula las frases,
por el *legato* increíblemente fluido, por la utilización infa-
lible del arriesgado *portamento*, por la colocación de las
palabras en el tono y por la belleza de cantar *mezzo voce*
y *sotto voce*, el suyo es el arte del canto por excelencia».

«Primero perdí la voz, luego perdí la figura y después, a Onassis.»

Rudolf Bing, que dirigió la Metropolitan Opera House de Nueva York durante más de 20 años y tuvo varios encontronazos con la temperamental artista, intentó durante años que actuara en su ciudad natal. Descubrió que Callas era tan difícil y conflictiva fuera del escenario como Tosca –otro de sus papeles fetiche– con el barón Scarpia. Tal como ella misma decía, rendida a su propia grandeza: «Me gustaría ser Maria, pero es La Callas quien me pide que actúe con dignidad». Bing tuvo que conformarse con verla en su debut norteamericano en la Ópera Lírica de Chicago, que la contrató para las temporadas de 1954 y 1955. Pese a ser consciente de sus carencias técnicas, en 1956 Bing describió su debut en Nueva York como «el más fascinante desde que estoy en el Metropolitan». Y añadió: «Nunca he disfrutado plenamente de los artistas que han representado con posterioridad uno de sus papeles».

La vida privada de Callas fue carne de cañón para la prensa amarilla. Su aspecto cambió radicalmente a principios de la década de 1950, cuando perdió casi 30 kilos y la artista corpulenta se convirtió en una diva esbelta y elegante. Su matrimonio fracasó en 1959, cuando empezó una relación con el armador griego Aristóteles Onassis. El proceso de divorcio fue una telenovela en la que Callas renunció a la nacionalidad estadounidense en 1966 con la intención de agilizar las cosas. Cuando por fin obtuvo el divorcio, Onassis se había casado con Jacqueline Kennedy.

Maria Callas tenía 53 años cuando apareció muerta en su apartamento de París, y había transcurrido una década desde su última actuación sobre un escenario. No se había retirado del todo. En 1969 interpretó un papel en la *Medea* de Pier Paolo Pasolini y en 1974 participó en una gira internacional con el tenor Giuseppe di Stefano. Aquellos recitales fueron sus últimas apariciones públicas.

Como cantante, puede que Callas no estuviera a la altura de su coetánea Joan Sutherland. Los críticos hablan de una nota metálica y quebradiza en su voz, cierta vacilación en los registros altos y un *vibrato* excesivo. Sin embargo, su presencia escénica, su don para la interpretación y su espléndida teatralidad compensaron con creces las carencias vocales e hicieron de Callas una de las divas más electrizantes de la ópera.

Arriba: En el papel de Norma en el Metropolitan Opera House de Nueva York en 1956.

Página contigua: Callas y el tenor italiano Renato Cioni en una escena de Tosca en el Covent Garden de Londres, 1964.

Patsy Cline

LEYENDA DEL COUNTRY
8 DE SEPTIEMBRE DE 1932 - 5 DE MARZO DE 1963

Durante el breve tiempo que se mantuvo en la cima, Patsy Cline grabó su nombre a fuego en la lista de los grandes de la música *country*. Fue una artista de fusión que triunfó en el mundo del pop al tiempo que se convertía en una leyenda en Nashville.

Virginia Patterson Hensley se crió en Winchester (Virginia) donde desde pequeña demostró su talento interpretativo. Bailarina y pianista autodidacta, pronto se propuso ser cantante de música *country*. Se mantuvo firme en su decisión tras recuperarse de una infección de garganta cuando era niña que le dejó una voz «atronadora como la de Kate Smith», en referencia a una cantante de voz arrolladora muy popular en la década de 1940.

> **«El Carnegie Hall fue fabuloso, pero claro, no es tan grande como el Grand Ole Opry.»**

A los 14 años impresionó tanto a Joltin' Jim McCoy y sus Melody Playboys que se ganó un espacio en el programa de radio local. Abrió el espectáculo de Wally Fowler en el Grand Ole Opry con igual éxito y en 1954 firmó un contrato con la modesta discográfica Four-Star de Pasadena. Por entonces había adoptado el nombre artístico de Patsy Cline. Bill Peer, el director musical y posterior mentor que la contrató como vocalista y negoció el acuerdo con Four-Star, pensó que *Patsy* vendería más que *Virginia*; el apellido lo obtuvo en un matrimonio breve y tormentoso con Gerald Cline.

Las primeras grabaciones de Cline pasaron sin pena ni gloria, y ella tenía pocas esperanzas puestas en *Walkin' After Midnight*, que se convertiría en uno de sus mayores éxitos. Tras interpretar la canción en el programa de televisión

Arthur Godfrey's Talent Scouts en enero de 1957, el tema ocupó la segunda posición en las listas de música *country* y se coló entre las 20 primeras de música pop. La llegada de un segundo éxito se resistió, quizá por las restricciones derivadas del contrato. La situación dio un giro después de que Cline firmara con Decca en 1960, el año en el que también se unió al elenco del Grand Ole Opry. *I Fall to Pieces* llegó al número uno en las listas de *country*, y aunque su interpretación de *Crazy*, de Willie Nelson, no llegó a superar el segundo puesto, acabaría siendo el tema por el que mejor se le recordaría. En 1962 *She's Got You* volvió a colocarla en lo más alto de las listas, y le permitió abrirse hueco por primera vez en las listas de éxitos del Reino Unido.

El 5 de marzo de 1963, cuando *Leaving on Your Mind* copaba las listas de *country* y pop, Patsy Cline murió cuando el avión con el que viajaba hacia su casa de Nashville tras una actuación benéfica en Kansas City se estrelló cerca de Camden (Tennessee) por culpa del mal tiempo. Una década más tarde mereció el honor de ser la primera mujer que accedía en solitario al Paseo de la Fama de la música *country*.

Página contigua y derecha: Retratos de estudio de Patsy Cline. Decca ilustró la portada del álbum de 1962 Sentimentally Yours con la imagen de la derecha.

Nat King Cole

PIANISTA Y CANTANTE DE JAZZ
17 DE MARZO DE 1919 - 15 DE FEBRERO DE 1965

Nat «King» Cole es más conocido por su cálida voz de barítono, que irrumpió en las listas de éxitos con temas como el clásico del R&B *(Get Your Kicks On) Route 66* y baladas posteriores como *Unforgettable*. Sin embargo, también fue un célebre pianista de *jazz* y está considerado una figura muy influyente en la génesis del *rock*.

Según la leyenda, Cole solo empezó a cantar cuando un cliente borracho le pidió *Sweet Lorraine*, aunque más adelante el protagonista negó que la historia fuera cierta, ya que solía cantar para pasar de un tema instrumental a otro, y explicó que empezó a hacerlo más a menudo porque el público se lo pedía. El trío firmó con Capitol Records

> **«Soy músico de corazón, en realidad no soy cantante, pero canto porque el público lo compra.»**

Nathaniel Adams Coles nació en Montgomery (Alabama) y fue bautizado como Nat *King* Cole por el propietario de un club de Los Ángeles en 1937. A finales de la década de 1930 creó The King Cole Trio, formado por Cole al piano, Oscar Moore a la guitarra y Wesley Price al contrabajo, una formación innovadora en aquella época al carecer de batería. Nada menos que Count Basie quedó maravillado ante la compenetración en la improvisación del trío: «Aquellos tipos se leían la mente, era increíble».

Arriba: The King Cole Trio, formado por el guitarrista Oscar Moore (izquierda), Nat King Cole (primer plano) y Johnny Miller (derecha), que se hizo cargo del contrabajo en la década de 1940.

Derecha: Cole con su esposa Maria en el Coconut Grove de Hollywood en 1964.

Página contigua: Cole posa delante de un piano alrededor de 1954.

en 1943, y se hizo tan famoso que el cuartel general de la nueva discográfica que se terminó en 1956 pronto se conoció como «la casa que construyó Nat».

Cole hizo historia en la televisión en 1956 cuando se puso al frente de una emisión de la NBC-TV y se convirtió en el primer afroamericano con programa propio. Pese al apoyo de muchos artistas de la época, el programa no encontró patrocinadores a escala nacional y fue retirado de antena solo un año después. Aunque puede que el racismo tuviera algo que ver, tampoco Frank Sinatra tuvo obtuvo grandes audiencias en esa misma época con su programa. El propio Cole se había negado a aceptar el racismo a lo largo de su vida, como

cuando no quiso participar en conciertos solo para negros ni actuar en el sur de Estados Unidos después de que le agredieran en el escenario durante un concierto en Birmingham (Alabama).

A lo largo de su carrera Cole fue un fumador empedernido. Por aquel entonces no se consideraba que el tabaco fuese peligroso para la salud y él creía que le daba a su voz un tono característico. A principios de la década de 1960, tantos años de tabaquismo le pasaron factura, y en 1965 murió de cáncer de pulmón en Santa Mónica (California). Su obra no ha perdido vigencia, como demuestra el álbum de homenaje editado en 1991.

John Coltrane

SAXOFONISTA VANGUARDISTA DE JAZZ
23 DE SEPTIEMBRE DE 1926 - 17 DE JULIO DE 1967

El saxofonista John Coltrane fue una de las figuras más relevantes e influyentes de la historia del *jazz*. Aunque parte de su trabajo no está exenta de controversia, fue uno de los pioneros del *free jazz* e inspiración para todo músico deseoso de experimentar.

Nacido en Carolina del Norte, John William Coltrane creció rodeado de música, ya que su padre era un músico aficionado que tocaba varios instrumentos. Coltrane empezó a tocar el clarinete y la trompa en una orquesta del vecindario, pero después se pasó al saxo alto. Tras asistir a algunas clases en la escuela de música Ornstein, se alistó en la marina de Estados Unidos durante la Segunda Guerra Mundial y actuó con la banda de *jazz* del ejército en Hawái.

Al acabar la guerra, Coltrane empezó a tocar el saxo tenor con la Eddie Vinson Band, con la que aprendió distintos estilos interpretativos. En esta época trabajó con otras orquestas y se despertó su pasión por la experimentación. En 1955 fue contratado por el Miles Davis Quintet y tuvo la oportunidad de grabar mucho, no solo con el quinteto sino también como acompañante de otras bandas. Cuando Coltrane se hizo famoso, se relanzaron con su nombre muchas de esas grabaciones conjuntas. El músico ideó un método para tocar varias notas juntas y lanzó un

> ## «Mi música es la expresión espiritual de lo que soy.»

par de álbumes firmados por él, cada vez acompañado de músicos distintos, además de seguir grabando con Davis.

En 1959 Coltrane trabajó con Davis en *Kind of Blue*, un álbum de culto con improvisaciones en escalas que fue uno de los álbumes más vendidos de la historia del *jazz*. Un año después creó el John Coltrane Quartet y comenzó a crear su propia música expresiva e innovadora. Uno de los álbumes más célebres del cuarteto, *A Love Supreme*, celebra el poder, la gloria y el amor de Dios; Coltrane había sido drogadicto muchos años, y hay quien piensa que esta espiritualidad afloró tras estar a punto de morir por una sobredosis. Pese a su contenido religioso, el álbum fue un éxito comercial.

A partir de 1965 Coltrane se interesó por el *jazz* vanguardista y su estilo, más libre y abstracto, indujo a su banda a seguirle. Sin embargo, dos de sus miembros abandonaron el grupo cuando otros músicos independientes empezaron a tocar a menudo con Coltrane, llevando la música por derroteros muy experimentales. En 1967 Coltrane falleció repentinamente a causa de un cáncer de hígado, dejando un montón de material grabado que sería publicado en los años posteriores. Obtuvo varios premios Grammy y una mención especial del Pulitzer a título póstumo, y fue canonizado como santo por la iglesia ortodoxa africana.

Izquierda: Coltrane fue un pionero de la improvisación jazzística.

Página contigua: Con el paso del tiempo, Coltrane y su música asumieron una dimensión cada vez más espiritual.

Sam Cooke

LEYENDA DEL SOUL
22 DE ENERO DE 1931 - 11 DE DICIEMBRE DE 1964

Sam Cooke, uno de los músicos negros más influyentes de la historia, pasó de ser un cantante de góspel a convertirse en una estrella del pop. Se le recuerda como una figura crucial en la historia del *soul* y el R&B.

Samuel Cook nació en Clarksdale (Misisipi), aunque su padre, pastor de la iglesia baptista, se trasladó junto con la familia a Chicago cuando él tenía dos años. Desde niño, Sam cantaba espirituales con sus hermanos y en su adolescencia actuó con The Highway Q.C.'s y en 1950 se unió a los Soul Stirrers, uno de los grupos de góspel más prestigiosos de la época. Con canciones como *Jesus Gave Me Water*, los Soul Stirrers triunfaron en «la carretera del góspel». La voz dulce y envolvente de Cooke, su atractivo físico y su encanto le granjearon un buen número de seguidoras, pero aquel mundo se le quedaba pequeño, algo que el ambicioso cantante y compositor quiso solucionar entrando en el circuito comercial. Aquella música era anatema para los intérpretes de góspel y Cooke se arriesgaba a cortar con sus raíces al interpretar temas desprovistos de contenido espiritual.

«He recorrido un largo camino, pero sé que las cosas van a cambiar.»

Arriba, izquierda: Sam Cooke se unió a los Soul Stirrers en 1950.

Arriba, derecha: Cooke delante de un cartel de su espectáculo.

Página contigua: Cooke en el estudio.

En enero de 1957 grabó *Lovable* con el productor Robert Blackwell, quien descubrió su potencial como músico de fusión. Esta versión de un tema de los Soul Stirrers se editó bajo el alias Dale Cook, pero no consiguió engañar a nadie.

Cooke puso las cartas sobre la mesa al abandonar a los Soul Stirrers en mayo de 1957. Si llegó a perder admiradores los recuperó con creces cuando *You Send Me* se convirtió en uno de los grandes éxitos del año. Después vinieron otros, como *Only Sixteen*, *Wonderful World* y *Chain Gang*, este último el primero tras firmar con la RCA en 1960. La racha de éxitos siguió con *Cupid*, *Twistin' the Night Away* y *Another Saturday Night*.

Cooke, cuya visión para los negocios era equiparable a su talento como cantante y compositor, fundó su propia casa y sello discográficos. Además de canciones ligeras con mucho ritmo como *Everybody Likes to Cha Cha Cha*, Cooke lanzó temas con más sustancia, como *A Change is Gonna Come*, un canto a los derechos civiles inspirado en Dylan que Barack Obama citó cuando ganó las elecciones en 2008. Cooke se encontraba en Los Ángeles cuando esta canción se incluyó en la cara B de su último sencillo, *Shake*. La fiesta terminó en un motel de mala muerte, donde su representante le descerrajó un tiro tras un altercado. Las circunstancias de su muerte siguen siendo un misterio, pero no hicieron mella en la reputación de un artista que allanó el terreno a los cantantes de góspel, como Aretha Franklin y Marvin Gaye, que triunfarían en el *soul* en la década de 1960.

Jacqueline du Pré

VIOLONCHELISTA LEGENDARIA
26 DE ENERO DE 1945 - 19 DE OCTUBRE DE 1987

Jacqueline du Pré se cuenta entre las mejores violonchelistas de la historia. Combinó mente, cuerpo y espíritu para crear una música muy expresiva, que interpreta con una gran precisión y pureza de tonos.

A los diez años de edad, Du Pré estudió con el violonchelista William Pleeth, y más adelante también lo hizo con músicos de la talla de Casals, Tortelier y Rostropovich. A los 11 fue la persona más joven en recibir el premio Guilhermina Suggia, y a los 15 obtuvo la medalla de oro de la escuela de música Guildhall. A los 16 años ya se dedicaba profesionalmente a la música y en 1962 interpretó

Izquierda: Una joven Du Pré toca en enero de 1962.

Abajo: La pareja de oro formada por Jacqueline du Pré y el pianista y director Daniel Barenboim en 1967.

Página contigua: Sobre el escenario en Londres en 1968.

> «Cuando toco me transporto a un lugar delirante.»

Du Pré nació Oxford (Inglaterra) en el seno de una familia dedicada a la música. Su madre era una excelente pianista y profesora, y su hermana mayor Hilary fue flautista. Su padre era el director de *The Accountant*; el apellido francés era herencia de sus antepasados de las islas del Canal. Poco antes de su quinto cumpleaños, cuando ya apuntaba maneras, al parecer Du Pré escuchó el sonido de un violonchelo en la radio y le dijo a su madre que le gustaría aprender a tocarlo.

el *Concierto para violonchelo* de Elgar por primera vez en el Royal Festival Hall con la orquesta sinfónica de la BBC bajo la batuta de Rudolf Schwarz. Al año siguiente repitió la misma actuación en la temporada de conciertos de la BBC, y tuvo tanto éxito que la invitaron otros tres años consecutivos. En 1965 grabó el *Concierto para violonchelo* de Elgar con sir John Barbirolli y la orquesta sinfónica de Londres, un trabajo que la consagró a escala internacional. Du Pré también fue una magnífica intérprete de música de cámara, y colaboró con grandes nombres como los violinistas Yehudi Menuhin e Itzhak Perlman y el pianista Daniel Barenboim. En 1967 se casó con Barenboim

en Jerusalén, aunque más adelante mantuvo una relación con el director Christopher Finzi, marido de su hermana.

En algún momento de 1971 du Pré empezó a perder sensibilidad en los dedos y a notar los brazos «plomizos». Comenzó a perder facultades y entre 1971 y 1972 apenas actuó en público. En octubre de 1973 le diagnosticaron esclerosis múltiple, pero volvió a tocar para dar una última gira, aunque ya había perdido la sensibilidad en los dedos y tenía dificultades para calibrar el peso del arco. Después de 1973 dejó de tocar, aunque ocasionalmente dio algunas clases. Su salud siguió deteriorándose y falleció en Londres en 1987.

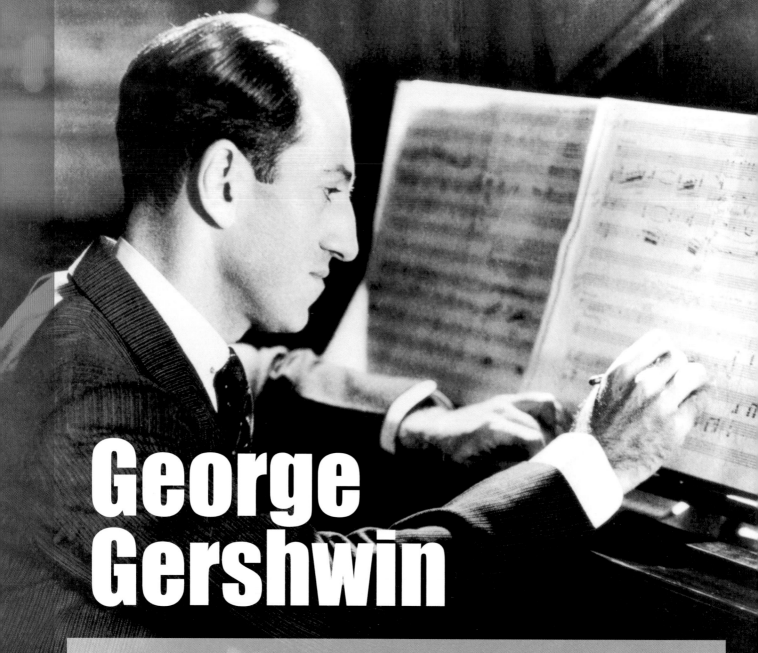

George Gershwin

UN CÉLEBRE COMPOSITOR
26 DE SEPTIEMBRE DE 1898 - 11 DE JULIO DE 1937

George Gershwin sigue siendo uno de los músicos más respetados de Estados Unidos. Compuso clásicos como *Rhapsody in Blue*, musicales de Broadway como *Funny Face* y bandas sonoras para varias películas de Hollywood, incluida *Ritmo loco*, protagonizada por Fred Astaire y Ginger Rogers.

Jacob Gershowitz, hijo de una familia de inmigrantes rusos muy unida, nació en Brooklyn en 1898. Comenzó su carrera musical como pianista promocional para Tin Pan Alley y por su primera canción editada cobró cinco dólares, un tercio del salario semanal de la época. Cuando empezó a trabajar con el joven letrista Irving Caesar en 1919 compusieron varias canciones de éxito, como *Swanee*, de la que se vendieron más de un millón de copias. En los cuatro años siguientes Gershwin escribió más de 40 canciones, además de una ópera de 25 minutos, *Blue Monday*, en colaboración con el letrista Buddy DeSylva.

En 1924 Gershwin trabajó con su hermano mayor, el letrista Ira, en la comedia musical *Lady Be Good,* que incluía canciones como *Fascinating Rhythm* y *The Man I Love.* Fue el comienzo de una colaboración que se prolongaría hasta la muerte de Gershwin, aunque también intentó abrirse camino como compositor de música clásica. Ese mismo año el tema de influencias jazzísticas *Rhapsody in Blue* se estrenó en el Aeolian Hall de Nueva York. Gershwin repitió éxito con los trabajos orquestales *Concierto para piano en fa, Segunda rapsodia* y *Un americano en París.* Parte de la crítica tildó de banal la obra clásica de Gershwin, pero siempre tuvo mucho éxito entre el público.

En 1931 los hermanos Gershwin escribieron *Of Thee I Sing,* una sátira musical de los políticos estadounidenses,

que en 1932 se convirtió en el primer musical que ganó el premio Pulitzer de teatro. George tocó otros temas sociales en su obra, como en *Porgy and Bess,* una ópera folk inspirada en la vida afroamericana protagonizada por cantantes negros de formación clásica que al principio no tuvo una gran acogida, pero acabaría siendo considerada una pieza importante de la historia operística de Estados Unidos. Uno de los temas más conocidos de la obra, *Summertime,* es un clásico del *jazz* del que se conocen más de 2.500 versiones distintas. En 1937, tras cosechar numerosos éxitos en Broadway, los hermanos Gershwin se trasladaron a Hollywood. Poco después de llegar, a George le fue diagnosticado un tumor cerebral y pese a someterse a una intervención para extirpar el tumor falleció poco tiempo más tarde.

«La vida es muy parecida al jazz. Cuanto más improvisas, mejor.»

Abajo: George Gershwin escribe en la partitura de la película Deliciosa (1931) bajo la atenta mirada de su hermano y socio, el letrista Ira Gershwin (izquierda), y el dramaturgo británico Guy Bolton.

Página contigua: Gershwin trabajando, hacia 1930.

Billie Holiday

LADY DAY
7 DE ABRIL DE 1915 - 17 DE JULIO DE 1959

Pese a la falta de formación técnica, la dicción única, el fraseo inimitable y la intensidad dramática de Billie Holiday la convirtieron en la cantante de *jazz* más célebre de su época. Su conmovedora voz se considera todavía una de las mejores de todos los tiempos. Hoy se la recuerda por sus innovadoras técnicas de improvisación y sus emotivas baladas.

Eleanora Fagan nació en Filadelfia (Pensilvania), y se crió en Baltimore, una ciudad con una gran tradición jazzística. Más adelante se trasladó a Nueva York, donde cantó en clubes nocturnos de Harlem y adoptó su nombre artístico en honor de la actriz Billie Dove y el músico Clarence Holiday, su padre ausente. Aunque nunca supo leer una partitura, no tardó en participar activamente en uno de los panoramas jazzísticos más vibrantes del país. A los 18 años John Hammond la descubrió y grabó su primer disco con Benny Goodman, por entonces en la antesala de la fama. Dos años después grabó cuatro temas que fueron un éxito, incluidos *What a Little Moonlight Can Do* y *Miss Brown to You*, que le valieron un contrato de grabación en solitario. Trabajó a menudo con el saxofonista Lester Young, que la apodó Lady Day. En 1937 cantó con Count Basie y en 1938 con Artie Shaw. Fue una de las primeras mujeres negras que trabajó con una orquesta de blancos, algo inaudito en la época.

La conmovedora voz de Holiday y su capacidad para hacer suyo cualquier tema la convirtieron en una superestrella, con sus inconfundibles gardenias blancas

trenzadas en el pelo. En la década de 1930 había firmado ya con Columbia Records cuando descubrió *Strange Fruit*, un emotivo poema sobre el linchamiento de un hombre negro. Como Columbia no permitió que lo grabara, lanzó la canción con Commodore y fue todo un éxito.

En el terreno personal, sus relaciones sentimentales fueron a menudo destructivas y abusivas. En 1941 Holiday, que ya bebía, se casó con James Monroe y pronto se sumó a la adicción al opio de su marido. Tras divorciarse, otro novio, el trompetista Joe Guy, la inició en la heroína. A principios de la década de 1950 su salud empezó a resentirse por su afición al alcohol y las drogas. Holiday actuó por última vez el 25 de mayo de 1959 en Nueva York y poco después ingresó en el hospital con problemas de corazón e hígado. Fue detenida por posesión de drogas cuando aún estaba en el hospital, pero murió de cirrosis antes de que se celebrara el juicio.

«Nunca le he hecho daño a nadie más que a mí misma, y no es asunto de nadie más que mío.»

Arriba: Holiday descansa tras una actuación en 1954.

Izquierda: Ante el micrófono, con sus inconfundibles gardenias en el pelo.

Página contigua: Billie Holiday canta en un club nocturno, hacia 1954.

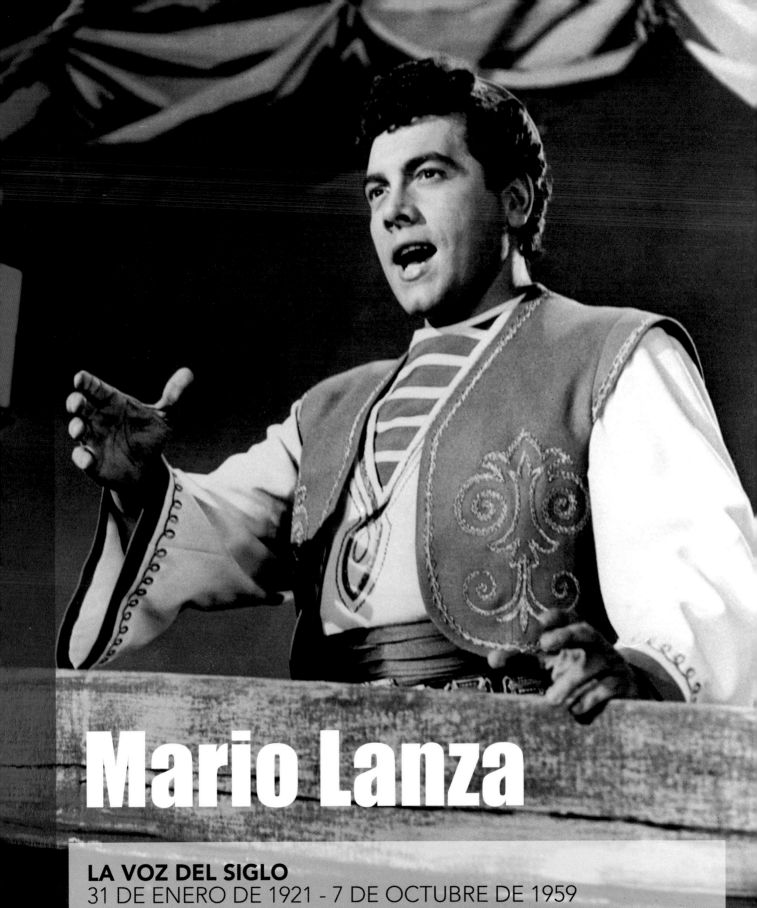

Mario Lanza

LA VOZ DEL SIGLO
31 DE ENERO DE 1921 - 7 DE OCTUBRE DE 1959

Mario Lanza fue el tenor más representativo de la década de 1950. El Enrico Caruso estadounidense sirvió de inspiración a artistas como Pavarotti, Domingo y Carreras.

Alfred Arnold Cocozza, hijo de inmigrantes italianos, nació en Filadelfia. Freddie, como era conocido, creció escuchando y cantando a dúo los discos de Caruso. Conscientes de su talento, sus padres, Antonio y Maria, le apuntaron a clases de canto. Pero su gran oportunidad le llegó en 1942, cuando Serge Koussevitsky, director de la orquesta sinfónica de Boston, le concedió una beca en la prestigiosa escuela de música Berkshire de Lenox (Massachusetts), sede del festival de música Tanglewood, donde la orquesta actuaba cada verano. Con un nombre artístico inspirado en su madre, Maria Lanza, triunfó en el papel de Fenton en *Las alegres casadas de Windsor*, y siguió actuando durante los tres años de servicio militar. Cuando se licenció, Lanza grabó discos, trabajó en la radio y ofreció conciertos. En 1948 hizo el papel de Pinkerton en una producción de *Madame Butterfly* estrenada en Nueva Orleans. Fue su primer papel operístico como solista, exceptuando su intervención en *Las alegres casadas*.

Lanza firmó con la MGM cuando el director de los estudios, Louis B. Mayer, le vio actuar en un concierto

«Canto porque me va la vida en ello y, si algún día dejara de hacerlo, mi vida no tendría sentido.»

celebrado en 1947 en el Hollywood Bowl. Debutó en la gran pantalla con *That Midnight Kiss* (1949), donde interpretaba a un conductor de camión cantante. Fue un pescador en la siguiente, *The Toast of New Orleans* (1950), donde cantaba la popular *Be My Love*. *El gran Caruso* (1951), una película biográfica de su héroe, fue el filme favorito de Lanza en el que interpretaba las arias *La donna è mobile* y *Celeste Aida*.

En general las películas eran una forma superficial de demostrar la voz privilegiada de Lanza. Un crítico dijo de la película de 1952 *Porque eres mía*: «La película podría haberse convertido en un recital de gramófono de sus éxitos sin que se apreciara ninguna merma».

Debido a una disputa con el estudio, Lanza solo apareció acreditado en la banda sonora de *El príncipe estudiante* (1954). Tenía problemas de sobrepeso y alcoholismo, pero regresó para rodar tres películas más. Su última aparición en la gran pantalla fue en *Por primera vez* (1959), donde interpretaba a un célebre tenor que se enamora de una joven sorda.

Las borracheras, los atracones y las dietas draconianas hicieron mella en la salud de Lanza. El hombre que según Arturo Toscanini tenía «la mejor voz del siglo xx» murió de un infarto en Roma dos años después de regresar a la tierra de sus antepasados. Tenía 38 años.

Arriba: La corta carrera de Lanza abarcó ópera, radio, conciertos, grabaciones y largometrajes.

Abajo: Kathryn Grayson y Mario Lanza en That Midnight Kiss.

Página contigua: La columnista de Hollywood Hedda Hopper escribió que Lanza era «el último de los grandes artistas románticos».

Charlie Parker

VIRTUOSO DEL SAXO
29 DE AGOSTO DE 1920 - 12 DE MARZO DE 1955

La historia de Charlie *Bird* Parker demuestra la triste realidad de que la genialidad y la autodestrucción suelen ir de la mano. El hombre que reformuló el *jazz* en la década de 1940 también era un adicto a las drogas y el alcohol, hasta el punto de que en el levantamiento de su deteriorado cuerpo se calculó que tendría más de cincuenta años. Solo tenía 34.

Parker se crió en Kansas City, donde aprendió a tocar el saxo. A los 14 años dejó la escuela y comenzó a tocar con grupos de la ciudad en un momento floreciente para el *jazz* y el *blues*. Muy competitivo, Parker estaba decidido a ser el mejor. Sus principales influencias eran los sonidos que escuchaba en los clubes de Nueva York. Pisó la Gran Manzana por primera vez en 1939, y aunque regresó a casa para tocar con la banda de Jay McShann, con quien actuó

«Si no la vives, no hay manera de que la música salga del saxo.»

de forma intermitente cuatro años, desde 1942 Nueva York fue su hogar espiritual. Era un habitual de los clubes de la calle 52, donde tocaba con Dizzy Gillespie y Thelonius Monk. Parker ya había grabado con McShann, interpretando canciones en solitario como *Hootie Blues* y *Confessin' the*

Izquierda y página contigua: Charlie Parker con su saxo.

Abajo: Parker toca con Charlie Ventura y Buddy de Franco con los Metronome All-Stars en 1949.

Blues, y con el tiempo adoptó su forma única de improvisar. Según Parker, podía escuchar el sonido que quería obtener mucho antes de tocarlo.

Aquel estilo fue bautizado como *bebop* a mediados de la década de 1940 y supuso una revolución en el mundo del *jazz* que ofendió a los más puristas, aunque el *blues* de 12 compases sostenía invariablemente los ritmos complejos y las estructuras melódicas propias de Parker. Su influencia no se limitó a los músicos de viento. Otros músicos de *jazz* adaptaron los motivos de Parker a sus propios instrumentos, mientras que los estudiantes que diseccionaban ávidamente sus solos se esforzaban por adoptar su mantra: «No toques el saxo, deja que él te toque a ti». Charlie Parker se aseguró un lugar en la historia de la música popular como un innovador influyente y un estilista único.

Composiciones como *Now's the Time* y *Ornithology* marcaron un hito, pero Parker ha quedado en el recuerdo como un virtuoso innovador. También son conocidos sus excesos, y es que su afición a las drogas, el alcohol y a las mujeres es tan legendaria como su música. La adicción a la heroína le llevó al hospital estatal de California en 1946, una época inmortalizada en *Relaxin' at Camarillo*. La adicción a las drogas le costó su licencia para actuar en cabarés en 1951 y en 1953 intentó suicidarse cuando murió su hija menor. Ofreció su última actuación pocos días antes de morir en Birdland, el club de Broadway bautizado en su honor.

Édith Piaf

EL PEQUEÑO GORRIÓN
19 DE DICIEMBRE DE 1915 - 11 DE OCTUBRE DE 1963

Édith Piaf, una de las mejores cantantes de Francia, interpretó emotivas baladas que reflejaban su historia trágica. Su vida era puro contraste: tenía un torrente de voz pese a su corta estatura y disfrutó de un éxito envidiable que enmascaraba una historia personal atormentada.

Édith Giovanna Gassion era hija de un acróbata callejero y una despreocupada cantante de cabaré. Según la leyenda, vino al mundo en plena calle en el distrito obrero de Belleville, en París, donde una placa recuerda el nacimiento de una cantante «cuya voz movería el mundo».

En plena adolescencia cantaba en la calle, donde la descubrió Louis Leplée, el propietario de un club nocturno. La apodó *la môme piaf* ('el pequeño gorrión') por su infancia desamparada y su aspecto enclenque. Pero fue con el nombre artístico de Édith Piaf con el que cautivó al público del teatro de variedades y el cabaret.

«Quiero hacer llorar a la gente aunque no entienda mis palabras.»

Su primer éxito llegó en 1937 con *Mon légionnaire* y posteriormente llegaron *Les trois cloches* y *La vie en rose*. Esta última se convirtió en su imagen de marca, al igual que su vestido negro. Piaf cantó a la vida en la calle, los amores imperfectos, las personas indeseables y las vicisitudes de la vida planteadas con estoicismo, sin autocompasión.

Sus letras reflejaban una vida cuya turbulencia se extendió a la edad adulta. Tuvo una relación de la que nació una hija que murió de niña. Otro de sus amores, el campeón de boxeo Marcel Cerdan, murió en un accidente de aviación. Además de varios flirteos hubo dos matrimonios. El primero, con el cantante Jacques Pills, duró cuatro años. Su segundo marido, Theophanis Lamboukas (alias *Théo Sarapo*), tenía 20 años menos que ella; se casaron en 1962. Ambos cantaron a dúo *A quoi ça sert l'amour?* (¿Para qué sirve el amor?), un tema lleno de ironía y optimismo grabado un año antes de su muerte.

En sus últimos años de vida Piaf estuvo delicada de salud. En 1951, en la cúspide de la fama, sufrió un accidente de tráfico cuyas secuelas provocaron una adicción a la morfina. Esto, unido a su afición al alcohol, sentenciaría su vida. Tras una larga enfermedad, en 1961 regresó por todo lo alto a los escenarios, pero solo fue una breve tregua. Murió de cáncer dos años después. Su funeral fue acompañado por centenares de miles de personas por las calles de París. Piaf supo ganarse un hueco en el corazón de admiradores de todo el mundo, para quienes la canción más conocida de la artista, *Non, je ne regrette rien*, condensaba su visión de la vida.

Derecha, arriba: El actor y cantante francés Yves Montand posa con Édith Piaf, cuyo apoyo fue fundamental para triunfar en la música.

Derecha, abajo: Piaf con el boxeador Marcel Cerdan. Su historia de amor se recreó en la película Édith et Marcel *en 1983.*

Página contigua: Piaf actúa a mediados de la década de 1940.

Bessie Smith

LA EMPERATRIZ DEL BLUES
15 DE ABRIL DE 1894 - 26 DE SEPTIEMBRE DE 1937

Bessie Smith fue una de las grandes cantantes de *blues*. Popular entre el público blanco y negro por igual, pronto se convirtió en la artista negra mejor pagada de su época. Su interpretación de *St Louis Blues* con Louis Armstrong se considera una de las mejores grabaciones de la década de 1920.

Nacida en Chattanooga (Tennessee), Smith se crió en un entorno pobre después de que sus padres murieran cuando era una niña. Ella y su hermano Andrew empezaron a tocar en las calles de Chattanooga, y a los 18 años Smith trabajó de bailarina en un espectáculo ambulante en el que también actuaba la vocalista Ma Rainey, que la animó a que hiciera sus primeros pinitos en el *blues*. Después, Smith se enroló en el circuito del vodevil afroamericano y se dio a conocer en el sur y la costa este de Estados Unidos. En 1923 grabó por primera vez con Columbia acompañada del pianista Clarence Williams; *Downhearted Blues* vendió más de 750.000 copias ese mismo año. Con su voz clara, potente y rica en matices, Smith grabó con éxito y trabajó con los mejores músicos de *jazz* de la época, incluidos Fletcher Henderson, James P. Johnson, Coleman Hawkins, Don Redman y Louis Armstrong. Interpretaba los temas con mucha emoción, quizá inspirada en su vida desdichada. Los seis años de matrimonio con Jack Gee fueron tormentosos, aunque después encontró la felicidad con su viejo amigo Morgan, y buena parte de su carrera estuvo marcada por el alcoholismo.

«He sido pobre y he sido rica, pero prefiero lo segundo.»

En 1931 el *blues* clásico había pasado de moda y Columbia se desvinculó de Smith. Sin embargo, y pese a no tener el respaldo de ninguna discográfica, seguía siendo popular en el Sur, y sus giras atraían todavía a un público muy numeroso, ante el que empezó a reconvertirse en cantante de swing. Estaba a punto de volver a lo más alto cuando una noche, en Misisipi, el coche en el que viajaba con Morgan se estrelló contra un camión y volcó. Smith se rompió el brazo izquierdo y las costillas y, aunque la trasladaron al cercano hospital afroamericano de Clarksdale, falleció a causa de las heridas sin recuperar la consciencia. John Hammond escribiría luego que la cantante se había desangrado porque primero la llevaron a un hospital de blancos y se negaron a atenderla, un rumor que se extendió pese a no ser cierto. A su funeral asistieron miles de personas, pero su ex marido no llegó a colocar nunca una lápida sobre su tumba, y prefirió embolsarse el dinero de las cuestaciones organizadas con ese fin. En 1970, por fin, la cantante Janis Joplin y Juanita Green, hija del ama de llaves de Bessie, costearon una lápida para su tumba.

Página contigua y derecha: Bessie Smith en la década de 1920. Al parecer, Columbia la apodó La reina del blues *pero alguien con visión comercial pronto la encumbró a emperatriz.*

EL REY DEL STRIDE
21 DE MAYO DE 1904 - 15 DE DICIEMBRE DE 1943

Además de ser un as del *stride piano* de Harlem, Fats Waller fue un cantante, compositor y director que también probó suerte en la radio y el cine. Todo un carácter, aún hoy se recuerda como un magnífico músico de *jazz*.

Hijo de un pastor baptista de Nueva York, Thomas Wright Waller hizo sus pinitos al teclado con el órgano de la iglesia. De adolescente acompañaba al piano las películas de cine mudo del Lincoln Theater y tocaba en los vodeviles y clubs de la ciudad. Era un protegido de James P. Johnson, uno de los mejores exponentes del *stride piano* –llamado así por las distancias que recorría la mano izquierda–, pero el encanto de Waller no se limitaba a su destreza con este instrumento. Era un hombre chistoso y un artista consumado que arrastraba a una legión de seguidores con sus payasadas y su virtuosismo inconfundibles. También tenía un apetito voraz, de ahí que le apodaran *Fats* ('gordo').

Fats grabó por primera vez en 1922, y *Wild Cat Blues* y *Squeeze Me* fueron dos de sus primeros trabajos más conocidos. Tocaba por igual en locales clandestinos y legales, y en una ocasión prácticamente le raptaron para que actuara para Al Capone, que era un gran admirador. En 1928 colaboró con James P. Johnson y el letrista Andy Razaf en el musical *Keep Shufflin'*, en el que solo participaban personas de raza negra. Entabló una gran amistad y una fructífera relación profesional con Razaf, de la que surgieron, entre otros, el espectáculo de Broadway *Hot Chocolates* en 1929, en el que interpretaba su célebre *Ain't Misbehavin'*. *Honeysuckle Rose* y *Keepin' Out of Mischief Now* fueron otros frutos de aquella colaboración. Fats también triunfó en solitario con *I'm Gonna Sit Right Down and Write Myself a Letter* y *Your Feet's Too Big*.

«Cuando escuchas el ritmo, ya no hay quien te pare.»

La fama de Waller se acrecentó cuando creó su célebre Rhythm Band en 1934. Tanto sus grabaciones como las giras que realizó en la última década de su vida fueron todo un éxito. A finales de la década de 1930 Fats visitó Europa en dos ocasiones, actuó en el London Palladium e incluso le dejaron tocar el órgano en la catedral parisina de Notre Dame. Asimismo, trabajó en el cine con *Viva el amor* (1935), *Rey del Bataclan* (1936) y *Stormy Weather* (1943), en esta última interpretando *Ain't Misbehavin'*.

Waller tuvo una vida marcada por los excesos, y las disputas legales con su ex mujer no hicieron sino acrecentar sus problemas. Murió víctima de una neumonía en Kansas City, durante una escala en el trayecto en tren de la costa oeste a Nueva York.

Página contigua: Fats Waller en su lugar favorito, delante del piano.

Arriba: Con aires de dandi.

Izquierda: Fats posa con la revista Creole Dancing *en Culver City (California), en 1935.*

Hank Williams

EL REY DEL COUNTRY
17 DE SEPTIEMBRE DE 1923 - 1 DE ENERO DE 1953

Hank Williams fue una leyenda del *country* que escribía canciones de amor y desamor. Sus letras reflejaban una vida privada atormentada que intentó sobrellevar con el consumo de drogas y alcohol.

para aliviar el dolor causado por una enfermedad congénita en la médula espinal. Más adelante se haría adicto a los calmantes.

En 1944 Hank se casó con la granjera Audrey Mae Sheppard, quien le animó a relanzar su carrera. En 1946 comenzó a grabar con Sterling, una discográfica modesta, y un año después debutó en la lista de MGM Records con

> **«Hay que oler mucho estiércol antes de cantar como un hillbilly.»**

Hiram Williams nació en Mount Olive (Alabama). Cuando tenía siete años le regalaron una guitarra y aprendió a tocarla con un músico callejero negro que se hacía llamar Tee-Tot. Aquellos comienzos imprimieron un toque de *blues* a su música y un aire de melancolía a sus letras.

La familia se trasladó a Montgomery cuando Hank tenía 14 años. Ganó concursos de talentos, creó un grupo llamado los Drifting Cowboys y le apodaron *El chico cantante* en la radio local. También tuvo un largo aprendizaje cantando en los bares, donde las peleas estaban a la orden del día. Hank empezó a aficionarse al licor, en parte

Arriba: Hank Williams toca con los Drifting Cowboys.

Derecha: Williams y su mujer Audrey alrededor de 1950.

Página contigua: Retrato promocional de un joven Williams.

220

Move It On Over. Recibió una acogida entusiasta del público en la Grand Ole Opry en 1949, el año en el que *Lovesick Blues* triunfaba en las listas. *Cold Cold Heart, Why Don't You Love Me* y *Hey Good Lookin'* fueron algunos de sus números uno en las listas de *country*, pero las canciones de Williams tenían tanto tirón que llegaron a entrar en las listas de *Billboard*. Ray Charles, The Carpenters y Tony Bennett fueron algunos de los muchos artistas que versionaron sus canciones.

En 1952, tres años después del nacimiento de la futura estrella del *country* Hank Jr, el matrimonio de Williams llegó a su fin. El carácter caprichoso de Hank le llevó a ser considerado persona non grata en Nashville, y protagonizó escenas desagradables cuando se subía al escenario en un estado deplorable. Un matrimonio turbulento en octubre de 1952 no pudo detener la espiral de autodestrucción. Relegado a apariciones modestas, Williams tenía que ofrecer un concierto importante en Canton (Ohio) el día de Año Nuevo de 1953. Antes de llegar a su destino sufrió un infarto y murió en el asiento trasero de su Cadillac conducido por un chófer. Su último sencillo, *I'll Never Get Out of this World Alive*, llegó al número uno, y fue el primero de varios relanzamientos póstumos que coparon las listas durante seis meses ese mismo año.

Princesa Diana Tony Han
Yuri Gagarin Amy John
Jackson Pollock Alexande
Amelia Earhart Ana Frank

ck
on
McQueen
Steve Irwin

También se fueron

Lenny Bruce

UN CÓMICO POLÉMICO
13 DE OCTUBRE DE 1925 - 3 DE AGOSTO DE 1966

Como sátiro e iconoclasta, Lenny Bruce arremetió contra muchas vacas sagradas. El sistema, a su vez, hostigó a un cómico cuyo humor se alimentaba de «la destrucción y la desesperación».

Según Lenny Bruce, la sátira podía definirse como «tragedia más tiempo». Pocos años después de su muerte, los números de Bruce podían representarse sin miedo a la represión o la censura. Pero a principios de la década de 1960, su singular audacia le metió en más de un lío, y los enfrentamientos con las autoridades –incluso aquellos que ganó– tuvieron represalias.

Leonard Alfred Schneider nació en Nueva York, y cuando se licenció de la marina de Estados Unidos en 1946, hizo varios trabajos antes de encontrar su lugar como cómico en los clubs de la ciudad. Cuando ganó un programa de talentos en la televisión subió su caché, y en la década de 1950, con un matrimonio fallido a sus espaldas, Bruce empezó a desarrollar un inconfundible estilo en el que todo valía, a menudo improvisado, que despertaba admiración e indignación a partes iguales. Sus monólogos de sexo y religión podían resultar resueltamente estimulantes o asquerosamente obscenos, según se mirara: «La gente se aleja de la iglesia cada vez más para volver junto a Dios». Vilipendió la gazmoñería y la hipocresía, y despotricó contra la explotación y los prejuicios. La guerra, la violencia y el racismo eran las verdaderas obscenidades, no las palabrotas ni las partes del cuerpo. Según él: «Si hay algo del cuerpo humano que le disgusta, quéjese al fabricante». En *Psychopathia Sexualis* habla de un hombre enamorado de una yegua: «Parecía tan bella delante de la barandilla / Con sus largas patas y su hermosa cola». Descacharrante para unos, inaceptable para otros.

«La única manifestación artística honesta es la risa, la comedia. No puede fingirse.»

En 1961 le detuvieron por comportamiento obsceno en San Francisco y, aunque le exculparon, este hecho supuso el comienzo de un largo periodo de hostigamiento que no solo se limitaba a Estados Unidos. En 1962 se le obligó a cancelar el espectáculo que había estrenado

Izquierda: Lenny Bruce actúa en el Village Theater de Greenwich Village, en Nueva York, el 28 de marzo de 1964.

Página contigua: Un Bruce introspectivo a principios de 1960.

en Australia, y un año después le prohibieron entrar en Gran Bretaña, donde le habían contratado para actuar en el londinense Establishment Club de Peter Cook.

Cuando no llamaba la atención de las autoridades con sus monólogos, Bruce las llevaba a su puerta por posesión de drogas. Cuando murió por una sobredosis de morfina, aquella guerra de desgaste le había dejado arruinado y prácticamente sin opciones de trabajo.

Siempre dispuesto a abordar temas tabú, Lenny Bruce allanó el camino de otros cómicos irreverentes. Fue un abanderado de la libertad de expresión y utilizó el micrófono para agitar, pero también para entretener.

Diana,
princesa de Gales

LA PRINCESA DEL PUEBLO
1 DE JULIO DE 1961 - 31 DE AGOSTO DE 1997

Apodada *la rosa de Inglaterra*, *la reina de corazones del pueblo* o *la princesa del pueblo*, la princesa Diana de Gales era una mujer hermosa que disfrutó de grandes privilegios incluso antes de formar parte de la familia real. Aun así, lideró la causa de los más desfavorecidos, y su labor humanitaria y caritativa mereció la admiración de todo el mundo. Como dijo Nelson Mandela: «Tendió la mano a los marginados de la sociedad». Fracasado su matrimonio de cuento de hadas, parecía que había encontrado de nuevo la felicidad cuando murió, como siempre, rodeada de *paparazzi*.

Diana, la tercera de cuatro hermanos, era hija del conde Spencer –antiguo palafrenero mayor del rey Jorge VI y la reina Isabel– y Frances Roche. Pasó su infancia en Park House, en la finca de Sandringham, y su padre heredó la casa solariega de Althorp, en Northamptonshire, cuando Diana tenía 13 años. A mediados de la década de 1970 sus padres se habían divorciado y ambos se habían vuelto a casar. Diana no era una lumbrera en los estudios, pero sí destacaba, sin embargo, por su empatía y compasión, como demostraba su buena mano con los niños y su amor por los animales.

Al terminar los estudios, Diana se puso a trabajar en la guardería Young England de Pimlico, en Londres. Los periodistas estaban apostados en su lugar de trabajo y en su piso de Kensington en el otoño de 1980, cuando saltó el rumor de que mantenía una relación con el príncipe Carlos. El futuro rey había dado a entender que con 30 años había llegado el momento de casarse. Tenía ya 32, y la jauría mediática olfateó un matrimonio real. Los rumores

Izquierda: Diana en el día de su boda, en 1981.

Derecha: Los príncipes de Gales con los príncipes Guillermo y Enrique en Mallorca, en 1987.

Página contigua: Diana, una de las mujeres más elegantes y fotografiadas del mundo, en 1985.

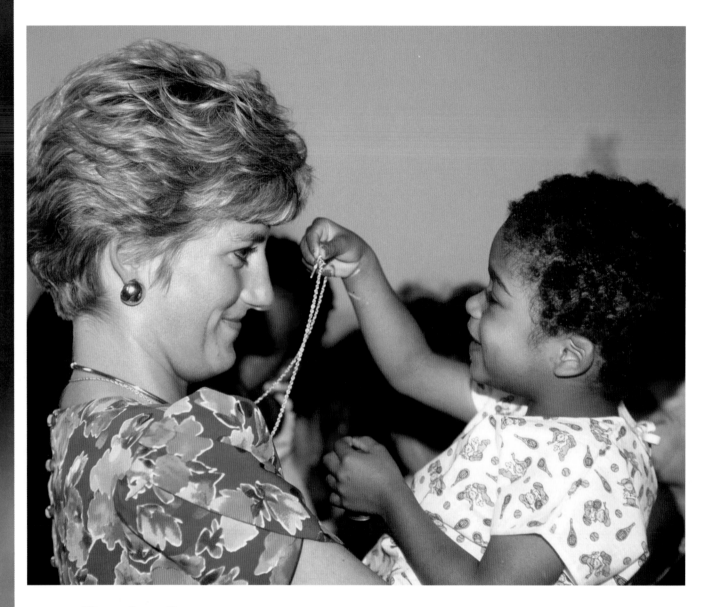

«No sigo las normas. Me dejo llevar por el corazón, no por la razón.»

llegaron a su fin con el anuncio del compromiso en febrero de 1981, y la pareja contrajo matrimonio en la catedral de San Pablo de Londres el 29 de julio de ese mismo año.

Al principio parecía esconderse detrás de su tupido flequillo cuando la fotografiaban, pero pronto sacó a relucir su personalidad, y su porte, encanto, elegancia y belleza animaron los actos más prosaicos. Veinte años después de que John F. Kennedy fuera relegado al papel del «hombre que acompañó a Jackie Kennedy a París», de nuevo una consorte eclipsaba al miembro regio de la pareja.

El príncipe Guillermo nació 11 meses después de la boda y el príncipe Enrique en septiembre de 1985. Como era de esperar, Diana fue una madre entregada y cariñosa que guardó celosamente su intimidad y solo requería el servicio de las niñeras cuando su apretada agenda le obligaba a ello. Participó en las carreras de madres en el colegio y se dio un buen remojón en un tobogán de agua, lo cual no hizo sino acercarla aún más a la gente. Pertenecía a la realeza, pero estaba muy cerca del pueblo. Esta fama se acrecentó cuando quiso colaborar con los enfermos de sida y lepra. Según Diana, que sentía pasión por la danza: «En la vida hay cosas más importantes que el *ballet*». Sin embargo, pese a desvivirse por los oprimidos y los desfavorecidos, en su propia vida gobernaba la confusión.

A mediados de la década de 1980 su matrimonio estaba en crisis y, con el tiempo, las tensiones entre los

Hewitt, y tuvo que soportar que se hicieran públicas unas conversaciones telefónicas con James Gilbey. La presión también había hecho mella en su salud y, por entonces, se desveló que aquella fanática de la gimnasia había padecido bulimia. En diciembre de 1992 se anunció su separación del príncipe Carlos. Los trámites de divorcio concluyeron en 1996.

Diana, uno de los grandes iconos de la moda en la época, recaudó varios millones de libras para los más necesitados en 1997 y llevó la problemática de las minas antipersona a la actualidad tras visitar Angola. Aquel verano también apareció un nuevo hombre en su vida. Su relación con Dodi Fayed le insufló un aire de felicidad pasajero antes de que ambos murieran en un paso subterráneo de París cuando el coche en el que viajaban intentaba despistar a los *paparazzi*. La respuesta del pueblo fue extraordinaria. «Demostrad que os importa», decía un titular dirigido a una familia real que no parecía comulgar con el sentimiento nacional. La reina respondió con un discurso en el que describía a Diana como «un ser humano excepcional» que podía «guiar a los demás por su calidez y su bondad». En su mordaz intervención en el funeral al día siguiente, el conde Spencer hizo hincapié en que su hermana, que se llamaba como la diosa de la caza de la Antigüedad, había sido «la presa más perseguida de la era moderna».

Página contigua: Diana sostiene en brazos a una niña durante la visita a un hogar para niños abandonados, muchos de los cuales eran seropositivos, en São Paolo (Brasil), en 1997.

Arriba: La princesa charla con una niña angoleña víctima de las minas antipersona. A la derecha, visita a un campo de minas desactivado en Angola, en 1997.

príncipes de Gales se hicieron evidentes. La imagen de Diana sentada sola delante del Taj Mahal (un monumento a una gran pasión) demostraba el aislamiento que había sentido durante años. La fotografía se había tomado en una visita a la India en 1992, el año en el que el libro *Diana: su verdadera historia* de Andrew Morton destapó la falsedad de la unión principesca. Hacía mucho que el príncipe Carlos se veía a escondidas con Camilla Parker Bowles, retomando la relación que habían mantenido antes de que esta se casara en 1973. Diana buscó consuelo en los brazos del ex oficial de caballería James

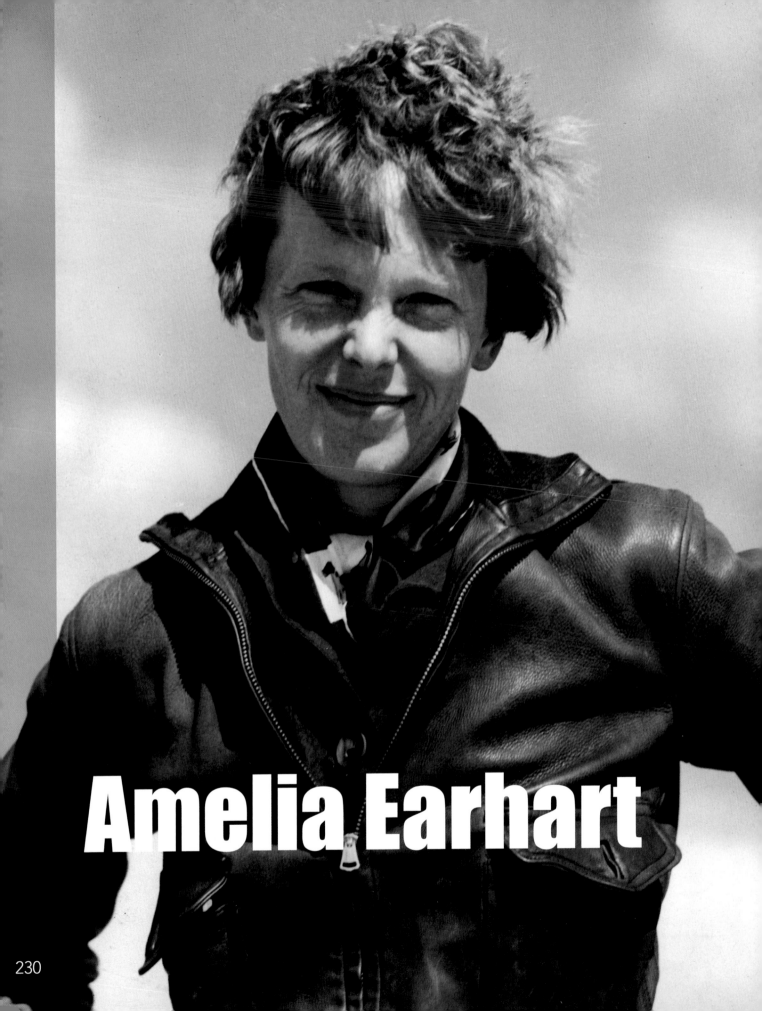

Amelia Earhart

PIONERA DE LA AVIACIÓN
24 DE JULIO DE 1898 - 2 DE JULIO DE 1937

Las hazañas aeronáuticas de Amelia Earhart cautivaron a la opinión pública en una época en la que volar era una empresa arriesgada que requería grandes dosis de improvisación. Su travesía del Atlántico en solitario de 1932 fue todo un hito, y cinco años después encontró la muerte mientras acometía otra de sus temerarias aventuras.

El periodo de entreguerras se conoce como la era dorada de la aviación, una época anterior a los aviones a reacción y los aviones de pasajeros con comodidades propias de un hotel. Viajar por aire era exótico y romántico. Quienes se aventuraban a volar se entronizaban por el modo despreocupado e intrépido con el que desafiaban a la gravedad, más aún cuando era una mujer quien se atrevía a realizar una actividad que en su corta historia había estado reservada a los hombres. Amelia Earhart rompió barreras. Encontró su lugar junto a los hermanos Wright, Louis Blériot, Alcock y Brown y Charles Lindbergh como uno de los denodados pioneros de la aviación, y perdió la vida cuando intentaba superar otra barrera.

Las ocupaciones terrestres de Earhart, nacida en Kansas, eran prosaicas. Trabajó de enfermera en un hospital militar de Canadá durante la Primera Guerra Mundial y después se instaló en Boston, donde se formó como asistenta social. Muy poco femenina de pequeña, de adulta conservó su espíritu aventurero y enérgico. Demostró un interés especial por las mujeres que habían triunfado en actividades eminentemente masculinas, y quedó cautivada por completo después de volar por primera vez en 1920.

El final del conflicto bélico mundial generó un excedente de aviones que estaban fuera de servicio, por lo que los aspirantes a piloto podían echarse a volar por unos centenares de dólares. Además, los más intrépidos podían batir los récords más variados. Pasó poco tiempo antes de que Earhart volara a más de 4.200 m de altura con su biplano de segunda mano, batiendo su primera marca.

Earhart se dio a conocer en junio de 1928, cuando fue la primera mujer que cruzó el Atlántico en avioneta. Por entonces era una piloto experimentada, pero al no dominar

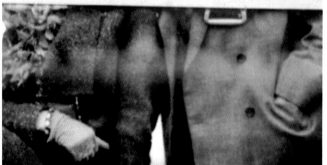

Arriba: Amelia Earhart con su marido, el editor George Palmer Putnam, sonrientes el tren en Cherburgo (Francia) en 1932.

Abajo: De izquierda a derecha, la primera dama de Estados Unidos Eleanor Roosevelt, la aviadora Amelia Earhart, Jim y Amy Mollison (Amy Johnson de soltera) y el presidente Roosevelt en Nueva York en 1933.

Página contigua: Amelia Earhart fotografiada en 1932.

la navegación mediante instrumentos optó por asumir la tarea de copiloto en aquel viaje. Bill Stultz pilotó el hidroavión Fokker de triple motor las 20 horas y 40 minutos que tardaron en ir de Terranova a Burry Port, en el sur de Gales. También viajaba un mecánico a bordo, pero el clamor popular y los medios de comunicación ensalzaron a Earhart. Aunque desempeñó un papel pasivo, surcó los cielos consciente de que tres mujeres habían muerto cuando intentaban realizar el mismo trayecto. Esta y otras hazañas le valieron el apodo de *Lady Lindy*, ya que tenía una historia paralela a la de su compatriota Charles Lindbergh, que un año antes había culminado con éxito su propio vuelo trasatlántico.

En 1931 Earhart se casó con el editor y publicista George Putnam, que había participado activamente en la aventura de 1928. Ayudó a planificar el viaje que encumbraría

definitivamente a su esposa: emular a Lindbergh para ser la primera mujer que cruzaba el Atlántico en solitario. La fecha no se eligió al azar, sino que coincidió con el quinto aniversario del vuelo de Lindbergh: el 20 de mayo de1932. Se decantó por un veloz Lockheed Vega de un solo motor que la llevó de Terranova a Londonderry en 14 horas y 56 minutos, otro récord. De vuelta a casa, el Congreso de Estados Unidos le concedió la máxima distinción del ejército de aviación, convirtiéndose en la primera mujer que recibía dicho galardón.

Antes de que acabara el año había batido otra marca al cruzar Estados Unidos en solitario, de Los Ángeles a Nueva Jersey. En enero de 1935 volvió a batir un récord de altitud de autogiros cuando completó el primer vuelo en solitario de Hawái a California, un recorrido de 3.800 km que se había cobrado varias vidas. Le quedaban ya pocas hazañas por cumplir: una de ellas era la circunnavegación del globo, una aventura que empezó a planificar a medida que se aproximaba su 40 cumpleaños.

Lo que tenía que consagrar su carrera como aviadora empezó con mal pie cuando estrelló su Lockheed Electra al despegar de Hawái después de haber salido de Oakland (California). Tras las reparaciones pertinentes, ella y su navegante, Fred Noonan, despegaron por segunda vez el 1 de junio de 1937, esta vez con la intención de realizar una ruta de oeste a este. Todo salió según lo previsto, y rozaban ya la meta cuando se produjo el desastre. Después de llegar a Nueva Guinea, el siguiente destino era la isla de Howland, en mitad del océano Pacífico. Era una etapa de 4.000 km, el límite máximo de autonomía de la avioneta, y no había margen de error posible a la hora de localizar aquella mancha diminuta de tierra. El último mensaje de radio decía que se acababa el combustible y que no divisaban tierra. El Gobierno de Estados Unidos invirtió millones de dólares en una búsqueda exhaustiva por la zona con la esperanza de

> **«Lógicamente, cuando decidí irme tuve que asumir que quizá no regresaría, pero una vez lo asimilé no había ninguna necesidad de volver a pensar en ello.»**

encontrarla. Pero no se encontraron ni los cuerpos ni los restos de la avioneta. Amelia Earhart desapareció el 2 de julio de 1937 y fue declarada muerta en enero de 1939.

Página contigua: Amelia Earhart llega a Southampton tras pilotar su avioneta Friendship *desde Burry Port, en Gales.*

Abajo: Earhart llega a Los Ángeles procedente de Honolulú, donde tuvo un accidente cuando intentaba dar la vuelta al mundo en 1937. Con ella están Harry Manning (izquierda) y Fred Noonan.

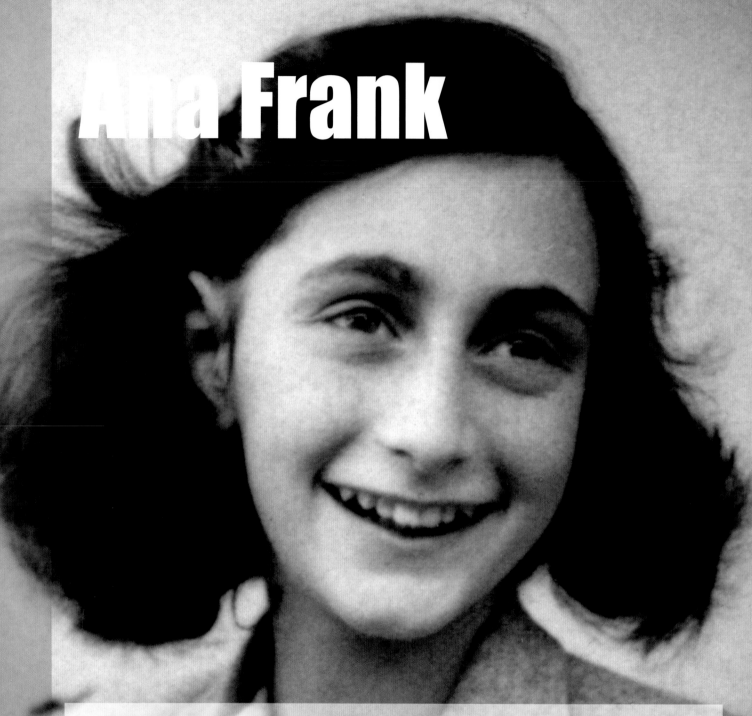

Ana Frank

LA VOZ DE UNA GENERACIÓN PERDIDA
12 DE JUNIO DE 1929 - MARZO DE 1945

Ana Frank y su familia estuvieron dos años escondidos en un «anexo secreto» en Ámsterdam durante la Segunda Guerra Mundial. Su diario refleja las esperanzas y los miedos de una joven adolescente, y la lucha diaria por sobrevivir ante la amenaza constante de ser descubiertos. El documento constituye un testimonio de la naturaleza indómita del espíritu humano.

Annelies Marie Frank, hija de una próspera familia judía, nació en Fráncfort (Alemania). Tanto ella como su hermana mayor Margot tuvieron una infancia acomodada

que llegó a su fin con el ascenso de los nacionalsocialistas, que empezaron a hostigar a la población judía del país mucho antes de que Hitler fuera nombrado canciller en 1933. El antisemitismo se convirtió en parte de la maquinaria del Estado y los Frank se dieron cuenta de que había llegado el momento de abandonar Alemania.

Otto Frank montó un negocio en Ámsterdam, donde la familia fundó un nuevo hogar, pero su vida volvió a dar un vuelco en mayo de 1940, cuando los Países Bajos cayeron frente al ejército alemán. En julio de 1942 el padre de Ana ideó un plan para salvar a la familia de la deportación: junto con cuatro judíos holandeses, los Frank se escondieron en parte de las instalaciones de la empresa de Otto, en el 263 de Prinsengracht. Una librería tapaba el acceso a la buhardilla, y su único contacto con el mundo exterior era un reducido grupo de colegas de trabajo y amigos que arriesgaron su vida para cubrir sus necesidades básicas. En horas de oficina, cuando las instalaciones estaban activas, Ana y los demás tenían que comportarse con mucho sigilo. Ella solía leer y escribir cuentos, además de llevar al día su diario.

Cuatro meses después, el 4 de agosto de 1944, la Gestapo descubrió el escondite tras recibir un soplo. Deportaron a los Frank a Auschwitz, donde la madre de Ana murió en enero de 1945. A Ana y su hermana las trasladaron al campo de concentración de Bergen-Belsen, y ambas murieron de tifus un par de semanas antes de que llegaran las fuerzas de liberación.

> **«Comparto el dolor de millones de personas y, sin embargo, cuando me pongo a mirar el cielo, pienso que todo cambiará para bien, que esta crueldad también acabará, que la paz y la tranquilidad volverán a reinar en el orden mundial.»**

Un miembro del grupo que había ayudado a sus amigos durante los 25 meses de cautiverio descubrió el diario de Ana. Se lo entregó a Otto Frank, quien después de dudarlo decidió hacer realidad el sueño de su hija de publicarlo para difundir su mensaje edificante y preservar su recuerdo. El libro fue un éxito de ventas, y la historia se llevó al teatro y al cine. Hoy sigue siendo un emotivo documento personal, que narra el despertar de una adolescente durante uno de los capítulos más oscuros de la historia.

Página contigua: Un retrato de Ana Frank tomado en mayo de 1942.

Arriba: La habitación de Ana Frank en la casa-museo de Ana Frank de Ámsterdam y el exterior de la casa de Prinsengracht (imagen superior).

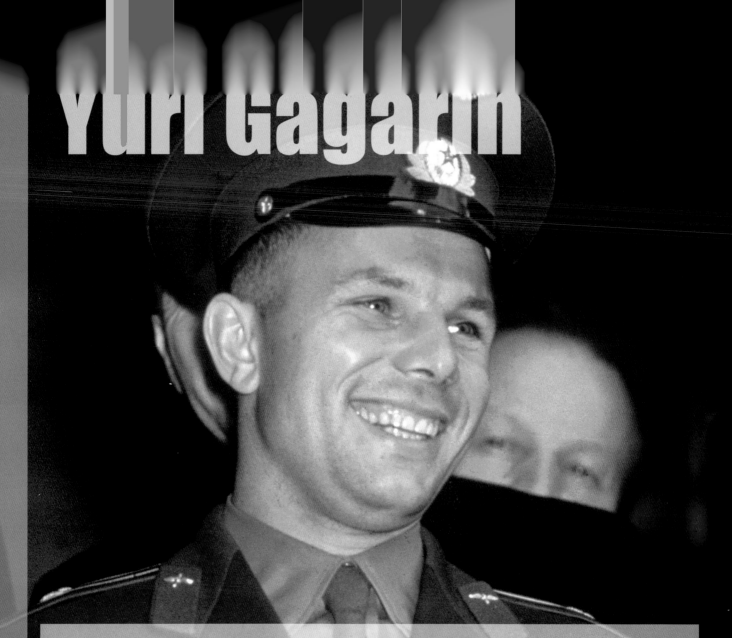

Yuri Gagarin

EL PRIMER HOMBRE QUE VIAJÓ AL ESPACIO
9 DE MARZO DE 1934 - 27 DE MARZO DE 1968

El 12 de abril de 1961, la Rusia soviética se impuso en la carrera espacial a Estados Unidos al ser el primer país en enviar un humano al espacio exterior. El piloto y astronauta soviético Yuri Gagarin abandonó la Tierra a las 9:07 hora local y completó una órbita en torno a la Tierra antes de volver a aterrizar 108 minutos más tarde.

Yuri Alekseyevich Gagarin nació en un pueblecito cercano a la ciudad de Gzhatsk, que más adelante se rebautizó como Gagarin. Interesado en los aviones y el espacio exterior desde pequeño, fue piloto del ejército del aire soviético, donde le ascendieron a teniente. En 1960 le eligieron candidato del programa espacial soviético y realizó un curso de formación de élite para probar su resistencia física y mental. En 1961, después de siete vuelos de prueba –varios de ellos fallidos–, los científicos decidieron que la nave espacial *Vostok* estaba lista para albergar un pasajero humano y Gagarin fue el elegido entre los 20 jóvenes pilotos de la restringida lista. Además de obtener magníficos resultados en las pruebas, su estatura fue otro aspecto decisivo, ya que la cabina de la *Vostok* era diminuta y él medía poco más de metro cincuenta.

«Podría pasarme la vida volando por el espacio.»

Los científicos estaban muy preocupados por los efectos de la ingravidez en un humano, y temían que Gagarin perdiera el conocimiento o enloqueciera, por lo que decidieron que no pilotara la nave, que era automática. Algunas cosas salieron mal: un defecto en la antena puso la *Vostok* en una órbita mucho más alta y arriesgada; en la reentrada, un fallo en el retropropulsor hizo que la nave girase sobre sí misma a gran velocidad, y la cápsula de aterrizaje tardó demasiado en eyectar el módulo de servicio. Aun así, Gagarin consiguió lanzarse en paracaídas y caer sano y salvo en un campo a las afueras de Moscú, donde aterrorizó a los lugareños con su traje naranja y su casco espacial.

Tras esta hazaña histórica, Gagarin fue declarado Héroe de la Unión Soviética, el mayor honor concedido por la nación, y se convirtió en una estrella internacional que supo sobrellevar con aplomo la fama y cautivó a todo el mundo

Abajo: Yuri Gagarin a bordo de la nave espacial Vostok en 1961.

Arriba: Gagarin con la primera mujer astronauta, Valentina Tereshkova, en 1963.

Página contigua: Gagarin rodeado de sus seguidores en 1962.

con su alegre sonrisa. Más adelante fue nombrado subdirector de instrucción en el Centro de Entrenamiento de Astronautas cerca de Moscú, que después llevaría su nombre. Gagarin murió en un vuelo de entrenamiento rutinario cuando el avión a reacción MiG 15 que pilotaba se estrelló. Los investigadores concluyeron que, o bien el avión había virado bruscamente para esquivar algo y había perdido el control, o bien se había dejado abierto un conducto de ventilación de la cabina, provocando la falta de oxígeno de la tripulación y la consiguiente pérdida de control del aparato.

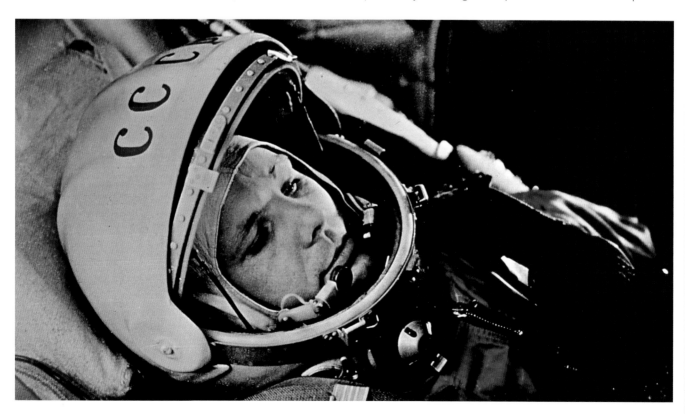

Tony Hancock

EL PAYASO TRISTE
12 DE MAYO DE 1924 - 24/25 DE JUNIO DE 1968

Tony Hancock era el arquetipo del payaso triste, un comediante genial atormentado por la inseguridad y la desconfianza en sí mismo. Su incombustible serie de televisión le convirtió en uno de los artistas más queridos de Gran Bretaña en la posguerra.

Después de pasar los primeros tres años de su vida en Birmingham, Tony Hancock y su familia se afincaron más al sur, en Bournemouth, donde su padre dirigía un hotel y hacía incursiones en el mundo del espectáculo. Desde pequeño Tony sintió la vocación de ser actor, y la comedia fue el vehículo elegido. La oportunidad le llegó en la Segunda Guerra Mundial, cuando actuó en los campamentos del ejército. Su material era algo subido de tono, pero después de una provechosa experiencia en una

sacristía, donde sus chistes rayanos en la indecencia cayeron mal, Hancock decidió poner en orden su repertorio.

En la década de 1940 y principios de la de 1950, Hancock perfeccionó el oficio en espectáculos de variedades y en la radio, pero la vuelta de tuerca definitiva llegó en 1954 con el programa radiofónico *Hancock's Half Hour*. Estuvo en antena hasta 1959, cuando se trasladó con éxito a la televisión, y ambos programas triunfaron juntos durante tres años. Hancock fue elegido el mejor cómico del país en dos ocasiones, y en la cumbre de su carrera el programa de televisión contaba con 20 millones de espectadores.

Los autores de ambos programas eran Alan Galton y Ray Simpson, cuyos guiones abrían una ventana al mundo de Anthony Aloysius St John Hancock, el pomposo, pretencioso y dogmático inquilino del 23 de Railway Cuttings, en East Cheam. Sus señas de identidad eran un sombrero de fieltro, un abrigo con cuello de astracán y un exasperante «¡Caray!» cuando se lanzaba a su última diatriba. Las situaciones cotidianas eran un motivo de inspiración para Hancock.

«Interpreto pretensiones, ostentación y estupidez con la esperanza de destruirlas.»

Abajo: Hancock y Sid James ensayan el episodio Missing Page *del programa* Hancock's Half Hour *en 1960.*

Arriba: Con Freddie Ross el día de su boda en 1965.

Página contigua: Tony Hancock, fotografiado en 1965.

Hancock triunfó en Gran Bretaña, pero no logró dar el salto a Estados Unidos. Protagonizó dos películas: *El ladrón de éxitos* (1960) y *The Punch and Judy Man* (1962). En esta última ya había prescindido de Galton y Simpson. De hecho, dejó en la estacada a muchos de los que le ayudaron a convertir su programa en toda una institución. Su lado autodestructivo asomó cuando le llegó el declive, y el abuso de alcohol afectó negativamente a su vida personal y profesional. Cuando intentaba relanzar su carrera en Australia, Hancock tomó una sobredosis fatal y dejó una nota de suicidio en la que decía: «Las cosas parecen ir demasiado mal con demasiada frecuencia».

Keith Haring

ARTISTA CALLEJERO
4 DE MAYO DE 1958 - 16 DE FEBRERO DE 1990

El artista y activista social Keith Haring expresó los conceptos universales del nacimiento, la muerte, el amor, el sexo y la guerra con un estilo incomparable. Su obra estaba inspirada en la cultura de la calle y, a lo largo de su breve pero intensa carrera, participó en más de 100 exposiciones y protagonizó un sinfín de reportajes.

Haring, el menor de cuatro hermanos, nació en Pensilvania y empezó a dibujar cuando su padre le enseñó las técnicas básicas de la caricatura. Cuando terminó sus estudios de secundaria se matriculó en una escuela de arte de Pittsburgh, pero la dejó antes de acabar el primer año para estudiar y trabajar por su cuenta hasta que expuso por primera vez en solitario con 19 años. En 1978 se trasladó a Nueva York y se matriculó en la Escuela de Artes Visuales, pero no tardó en

> ## «Mi aportación al mundo es mi habilidad para dibujar.»

formar parte de un grupo de arte alternativo que prosperó ajeno al circuito de museos y galerías convencionales. Fue allí donde Haring encontró su estilo en los dibujos lineales sencillos e, inspirado en el carácter público de la obra de Christo y la fusión de arte y vida de Warhol, también comenzó a orientar su carrera al gran público.

En 1980 halló el lugar ideal para experimentar: en el metro, los paneles de anuncios vacíos estaban cubiertos de un papel negro mate ideal para realizar dibujos a tiza. En los cinco años siguientes creó centenares de «dibujos de metro» ante los cuales se detenían los viajeros para charlar con él mientras trabajaba. La popularidad no tardó en llegar, y su obra se mostró en revistas, periódicos y exposiciones en solitario. Para su primera exposición

Izquierda: Haring trabaja en una estación de metro de París en 1984.

Arriba: Andy Warhol y Keith Haring en 1986.

Página contigua: Haring en su estudio alrededor de 1980.

en Nueva York pintó todas las paredes con sus dibujos, y después expuso sus pinturas y esculturas. Haring comenzó a viajar por todo el mundo y expuso en Europa, Japón y todo Estados Unidos. Su obra se cotizaba al alza, pero como aún tenía el deseo de ser accesible a todo el mundo abrió la Pop Shop para vender su arte en forma de pósteres, chapas, camisetas y juegos.

A pesar de su creciente popularidad, Haring seguía volcado en el arte público y creó obras para entidades benéficas, hospitales y centros infantiles de todo el mundo. También trabajó con estudiantes para pintar grandes murales, impartió talleres para niños y creó obras para campañas de servicio público. En 1988 le diagnosticaron sida y al año siguiente creó la Fundación Keith Haring para recaudar fondos y obras de arte para organizaciones relacionadas con la enfermedad y programas infantiles. Murió por las complicaciones derivadas de la enfermedad después de pasar los últimos años de su vida trabajando para concienciar a la población del sida.

Steve Irwin

CAZADOR DE COCODRILOS Y ECOLOGISTA
22 DE FEBRERO DE 1962 - 4 DE SEPTIEMBRE DE 2006

Una década después de que *Cocodrilo Dundee* llegara a la gran pantalla, Steve Irwin se presentó como un aventurero de carne y hueso que entusiasmó al público con su pasión por los animales. Un encuentro con un temible cocodrilo de agua salada o un dragón de Komodo podían llevarle a exclamar su característico «¡Caramba!», pero este personaje inconfundible, natural y despreocupado, tenía por objetivo proteger a los animales, no perturbarlos.

La casa de los Irwin era un auténtico zoológico al que se añadió una pitón en 1968 como regalo para Steve por su sexto cumpleaños. Sus padres eran naturalistas comprometidos que en 1970 dejaron el trabajo y se instalaron en Queensland (Australia), donde fundaron el Parque de Reptiles Beerwah. Su padre empezó a capturar y desplazar cocodrilos «problemáticos» a través de un programa patrocinado por el Estado, y Steve, que capturó su primer ejemplar antes de cumplir los diez años, dedicó la década de 1980 a realizar este trabajo y a cogestionar el rebautizado Parque de Reptiles y Fauna de Queensland. Cuando empezó a rodar documentales para la televisión en la década de 1990, resultó evidente que solo podían tener un título: *The Crocodile Hunter* (El cazador de cocodrilos). Presentó *The Ten Deadliest Snakes in the World* y en 2002 incluso participó en la película *El cazacocodrilos*. Irwin mantenía una relación extraordinaria con los animales salvajes, como cuando se acercó a una manada de leones, unos animales con los que nunca había trabajado. El éxito conllevaba la necesidad de acudir de vez en cuando a ceremonias de premios de relumbrón –fue candidato a un premio Emmy en 2000–, pero a Irwin le gustaba más

«No tengo miedo a perder la vida. Si tengo que salvar a un koala, un cocodrilo, un canguro o una serpiente, allá voy.»

el uniforme de trabajo caqui que los trajes de etiqueta. En 1991 se hizo cargo del parque familiar, que volvió a rebautizarse como Australia Zoo. Un año después se casó con la conservacionista estadounidense Terri Raines, un espíritu afín cuya especialidad en su Oregón natal eran los pumas. Pasaron la luna de miel persiguiendo cocodrilos, y cuando nacieron su hija Bindi y su hijo Robert, ellos también empezaron a relacionarse a diario con los animales preferidos de sus padres. Este hecho desató una tormenta mediática en 2004, cuando Irwin recibió duras críticas por alimentar a un cocodrilo mientras sostenía en brazos a su hijo.

Página contigua y derecha: Steve Irwin fotografiado en el Australia Zoo haciendo lo que más le gustaba.

Murió dos años después, cuando una raya le clavó su aguijón en el pecho mientras rodaba en la Gran Barrera de Coral. El primer ministro de Australia, John Howard, declaró que el país había perdido a «un hijo maravilloso y lleno de vida». El nombre de este gran naturalista, educador y actor perdura en el Steve's Whale One y en la Reserva de Fauna Steve Irwin de Cape York, en Queensland.

Amy Johnson

LA REINA DEL AIRE
1 DE JULIO DE 1903 - 5 DE ENERO DE 1941

Amy Johnson rompió barreras con sus intrépidas hazañas en una parcela reservada a los hombres. Sus gestas aeronáuticas inspiraron una conocida canción, la convirtieron en un modelo a seguir y la llevaron a ser considerada una heroína nacional.

Amy Johnson fue una mujer enérgica y aventurera que nunca se sintió realizada con el trabajo de secretaria que desempeñó después de ir a la universidad. Le gustó más el vuelo de cinco chelines que tomó en 1926, aunque pasarían tres años antes de que obtuviera la licencia de piloto. Johnson también fue una de las primeras mujeres que obtuvo una licencia de ingeniero de tierra del Ministerio del Aire, demostrando que sus conocimientos técnicos eran equiparables a su destreza como piloto. Desde el principio se planteó dedicarse profesionalmente a la aviación. Tal como declaró: «Volaré hasta que me muera, y espero morir mientras vuelo».

> **«Si fuera hombre habría explorado los polos o subido al Everest, pero como no es así el aire ha sido mi vía de escape.»**

Johnson se dio a conocer cuando voló en solitario de Gran Bretaña a Australia en mayo de 1930. Los 19 días de trayecto no fueron suficientes para batir un récord, pero fue la primera mujer que llevó a cabo una hazaña semejante. Las vicisitudes de su azaroso viaje a bordo de la avioneta descubierta de segunda mano Gipsy Moth, alias *Jason*, coparon los periódicos y convirtieron a Johnson en una estrella mediática. Apodada *la reina del aire*, recibió 10.000 libras

Arriba: Amy Johnson con su Gipsy Moth antes de embarcarse en un vuelo en solitario a Australia el 5 de mayo de 1930.

Abajo: Johnson celebra el tiempo récord de un vuelo de Londres a Ciudad del Cabo, en 1932.

Página contigua: Un retrato datado a finales de la década de 1930.

esterlinas de un diario nacional, así como la aprobación de la realeza cuando la nombraron Comandante de la Orden del Imperio Británico.

Siguieron más viajes épicos con los que Johnson batió varias marcas. En 1931 voló en solitario a Japón, y un año después recortó en diez horas el trayecto de Londres a Ciudad del Cabo, realizando el viaje en cuatro días y siete horas. Las marcas que superó correspondían a su nuevo marido, James Mollison, también un prestigioso aviador. Su matrimonio fue turbulento, sobre todo por los flirteos y las borracheras de Mollison, pero antes de divorciarse en 1938 la pareja colaboró en varias ocasiones. En 1933 les obsequiaron con un recibimiento

triunfal en Nueva York tras realizar un vuelo transatlántico de 39 horas, aunque se habían quedado sin combustible y habían tenido que efectuar un aterrizaje forzoso en Bridgeport (Connecticut). Al año siguiente hicieron un viaje sin escalas a la India en un tiempo récord.

Poco después de que estallara la guerra, Johnson colaboró con la división auxiliar de transporte aéreo, realizando vuelos entre las fábricas y las bases de la Royal Air Force. Fue en uno de esos vuelos cuando su avioneta cayó en el estuario del Támesis. Según los testigos, llegó a abandonar el aparato, pero su cuerpo nunca apareció y probablemente murió ahogada.

Frida Kahlo

SURREALISTA FEMINISTA
6 DE JULIO DE 1907 - 13 DE JULIO DE 1954

Magdalena Carmen Frida Kahlo y Calderón es conocida principalmente por sus autorretratos, aunque sus otros cuadros se recuerdan también por sus colores intensos y vibrantes. En México su obra cobra una relevancia especial porque está anclada en el arte tradicional del país, además de ser muy valorada por las feministas por su valiente representación de la figura femenina.

> ## «Nunca pinto sueños ni pesadillas. Pinto mi propia realidad.»

A los 22 años Kahlo se casó con el célebre muralista mexicano Diego Rivera, que le llevaba 20 años. Su relación apasionada y tormentosa sobrevivió a las infidelidades por ambas partes, las presiones de sus respectivas carreras, la bisexualidad de Kahlo, su mala salud y su incapacidad para tener hijos. Cuando Kahlo descubrió que Rivera había tenido una aventura con su hermana menor se divorciaron por un tiempo, pero al año siguiente volvieron

Izquierda: Kahlo y Rivera trabajando en un estudio. El autorretrato de Kahlo, Las dos Fridas (1939), aparece colgado en segundo plano.

Abajo: Kahlo, su marido y su mascota fotografiados en 1944.

Página contigua: Un retrato datado alrededor de 1940.

Kahlo nació en México D. F. A los seis años contrajo una poliomelitis que le dejó secuelas irreversibles en una pierna. Con 18 años, un accidente de autobús le provocó fracturas en la columna vertebral, la clavícula y las costillas, le destrozó la pelvis y le lesionó gravemente un hombro y un pie. De resultas de aquel incidente quedó también estéril. Pasó más de un año postrada en cama y durante su convalecencia empezó a pintar. Sus pinturas, sobre todo autorretratos y bodegones, eran de estilo naíf, rebosantes de los colores y las formas de México y, a menudo, con referencias al dolor físico o psicológico.

a casarse. Tanto Kahlo como Rivera eran miembros muy activos del partido comunista y congeniaron con León Trotsky cuando este recaló en México tras escapar del régimen de Stalin. A principios de julio de 1954, Kahlo hizo su última aparición pública cuando participó en una manifestación comunista.

En vida, su obra fue prácticamente desconocida, aunque el Louvre de París había comprado uno de sus cuadros en 1939. Sin embargo, 30 años después de su muerte se celebró una retrospectiva de su obra en Europa, Nueva York y México D. F., se publicaron varios libros sobre ella y se estrenó una película basada en su vida. Desde entonces, su pintura ha despertado cada vez más interés y respeto.

En los últimos años de su vida, Kahlo padeció un deterioro acusado de su salud y fue preciso amputar una pierna gangrenada, lo que supuso un duro golpe para su autoestima. Según la versión oficial, murió de una embolia pulmonar, pero hubo quien dijo que había encontrado la manera de suicidarse. La última frase de su diario dice así: «Espero alegre la salida y espero no volver jamás. Frida».

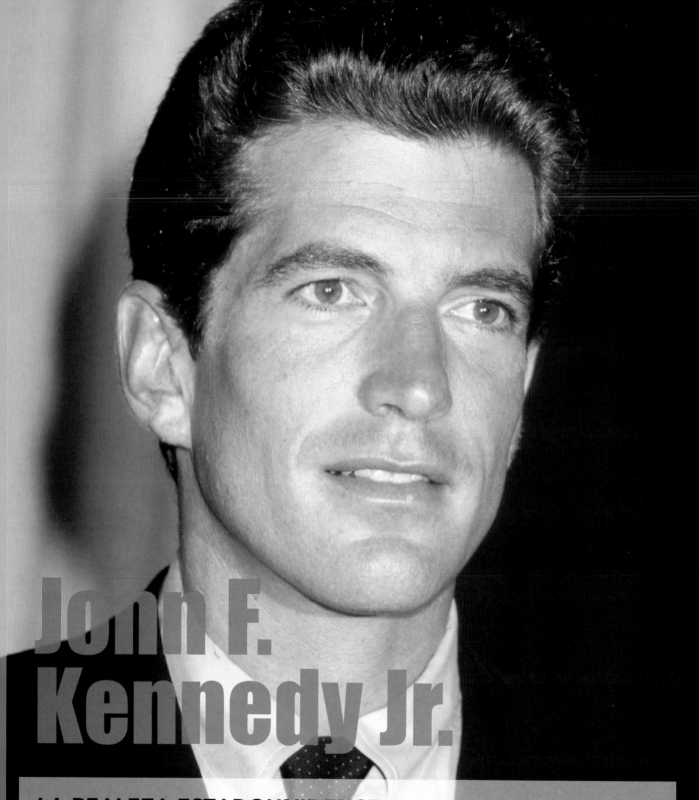

John F. Kennedy Jr.

LA REALEZA ESTADOUNIDENSE
25 DE NOVIEMBRE DE 1960 - 16 DE JULIO DE 1999

John F. Kennedy Jr. estuvo expuesto toda su vida a la luz pública. Nacido solo unas semanas después de que su padre fuera elegido presidente, fue el primer niño que vivió en la Casa Blanca desde la presidencia de Grover Cleveland. Pero la tragedia se cebó pronto con él. El día de su tercer cumpleaños estuvo en el punto de mira de millones de personas mientras daba un paso adelante y saludaba al ataúd en el funeral de su padre.

Jackie Kennedy se trasladó con su familia a Nueva York en busca de intimidad. Tras el asesinato de Bobby Kennedy y su matrimonio con Aristóteles Onassis, su prioridad era proteger a sus hijos. John Jr. pasó de la elitista Phillips Academy de Andover a la Universidad de Brown, donde se licenció en 1983. Aunque tenía vocación de actor, cedió a los deseos de su madre y se matriculó en la facultad de derecho de la Universidad de Nueva York. Suspendió dos veces las oposiciones para abogado del Estado antes de aprobarlas, un fracaso que le valió el sobrenombre de *the hunk that flunked* ('el guaperas que cateó').

En 1988 John Jr. presentó a su tío, el senador Edward M. Kennedy, en la Convención Demócrata, una intervención que suscitó rumores sobre su entrada en política. Aun así, comenzó a trabajar como fiscal del distrito en Manhattan, y durante su breve, pero exitosa, carrera nunca perdió un caso. En 1995 probó suerte en el mundo editorial con la publicación de *George*, una revista a todo color cuyo objetivo era abordar cuestiones políticas de enjundia de una forma imparcial y amena. John Jr. no solo era el editor de la revista, sino que también escribía artículos y realizaba entrevistas; en ellos llegó a criticar a su propia familia en alguna ocasión.

Guapo, elegante y educado, John Jr. llegó a estar considerado «el hombre más *sexy* del planeta» y mantuvo

Arriba: John Jr. fotografiado con su madre en 1989.

Derecha: John Jr. con su esposa Carolyn Bessette en 1999.

Página contigua: Kennedy en la presentación de la revista George *en 1995.*

«Para mí es difícil hablar de un legado o un misterio... La nuestra es una familia como cualquier otra.»

relaciones con varias actrices de cine. Sin embargo, en 1996 se casó con Carolyn Bessette, una antigua ejecutiva de Calvin Klein. Apasionado de los deportes, John Jr. solía patinar por su vecindario o correr por Central Park. También le gustaba volar y, en julio de 1999, pilotó una avioneta para dirigirse a Martha's Vineyard con su mujer y su hermana. Tres semanas antes había tenido un accidente de parapente: le acababan de quitar el yeso y todavía cojeaba. Era la primera vez que volaba solo desde el accidente. Ninguno de los tres llegó nunca a su destino, ya que la avioneta cayó al mar poco antes de aterrizar, al parecer por un error humano.

L'ENFANT TERRIBLE DE LA MODA
17 DE MARZO DE 1969 - 11 DE FEBRERO DE 2010

Lee Alexander McQueen encarnó mejor que nadie el arquetipo del arrapiezo que consigue llegar a lo más alto, hasta el punto de que la reina Isabel II le concedió la medalla de Comendador de la Orden del Imperio Británico por su contribución a la industria de la moda.

McQueen dejó el instituto a los 16 años para trabajar como aprendiz de sastre en Savile Row, primero con Anderson & Sheppard y después con Gieves & Hawkes, aunque más tarde obtuvo una plaza en la prestigiosa Central Saint Martins College of Art and Design de Londres para realizar un máster en diseño de moda.

En 1991 la influyente estilista Isabella Blow le compró toda la colección de final de curso, y cuando esta se suicidó en 2007, McQueen le dedicó su colección primavera/verano de 2008.

En 1996 McQueen relevó a John Galliano en Givenchy y, aunque él mismo reconoció que su primera colección para la firma era «una gilipollez», trabajó allí hasta 2001 y creó una serie de colecciones vanguardistas y llamativas. Sus diseños provocativos solían ser polémicos y levantar críticas, pero en este periodo recibió en tres ocasiones el premio al diseñador británico del año. Sin embargo, cuando finalizó su contrato con Givenchy en 2001, McQueen se sintió aliviado porque, según él, «limitaba su creatividad». Abrió una nueva empresa, Alexander McQueen, con el grupo Gucci como accionista mayoritario y el propio McQueen como director creativo. Sus diseños combinaban el corte impecable y la sensibilidad de la alta costura con una imaginación que iba de lo críptico a lo sublime. Las modelos salían a la pasarela con plataformas de 30 cm, el pelo cardado en forma de cuernos o vestidas con corazas de anfibio. Sus desfiles eran noticia por la combinación de surrealismo y accesorios elaborados y teatrales, y pronto se convirtieron en el buque insignia de la Semana de la Moda de París. En 2003 McQueen no solo obtuvo el premio al diseñador británico del año por cuarta vez, sino también el correspondiente al diseñador internacional del año.

«Cuando ves a una mujer con mi ropa quieres averiguar más de ella.»

En 2008 Alexander McQueen era un imperio de la moda con tiendas en todo el mundo. Las celebridades adoraban sus diseños y se dejaban fotografiar con ellos. Declarado abiertamente gay, en una ocasión McQueen se describió como la «oveja rosa de la familia». Estuvo casado con el cineasta George Forsyth y, aunque se separaron al poco tiempo, siguieron siendo amigos. Durante toda su vida McQueen mantuvo una estrecha relación con su madre y, cuando esta murió en febrero de 2010, quedó destrozado. Nueve días más tarde, la víspera del funeral, se ahorcó en su piso de Londres después de cortarse las venas e ingerir una sobredosis de cocaína y pastillas para dormir.

Arriba: Alexander McQueen en la pasarela al final de un desfile en París en 2004.

Abajo: Sarah Jessica Parker y McQueen en el Metropolitan Museum of Art de Nueva York en 2006.

Página contigua: McQueen fotografiado durante la Semana de la Moda de Londres en 2006.

Jackson Pollock

EXPRESIONISTA ABSTRACTO
28 DE ENERO DE 1912 - 11 DE AGOSTO DE 1956

El nombre de Jackson Pollock se asocia a un estilo de pintura que evita los focos de atención o las partes identificables y abandona los conceptos tradicionales de la composición. Sus imágenes abstractas no solían guardar relación con la forma o el tamaño del lienzo, que a veces recortaba para adaptarlo al contenido de la obra acabada.

Paul Jackson Pollock nació en Cody (Wyoming) y empezó a estudiar pintura en 1929 en la Liga de Estudiantes de Arte de Nueva York con Thomas Hart Benton, un artista conocido por plasmar la Norteamérica rural, pero también por el uso fluido del color y su extrema independencia. En la década de 1930 Pollock también recibió las influencias del muralista mexicano David Siqueiros, que le enseñó el uso experimental de la pintura líquida. Entre 1938 y 1942 Pollock trabajó para el Proyecto Artístico Federal, que contrataba a artistas en paro para que trabajaran en edificios públicos como colegios, hospitales y bibliotecas. En 1944 se casó con la artista Lee Krasner.

A mediados de la década de 1940 Pollock pintaba de un modo completamente abstracto, y el estilo de goteo y salpicadura por el que quizá sea más conocido surgió con cierta brusquedad en 1947. En lugar de utilizar un caballete tradicional, fijaba el lienzo en el suelo o la pared y vertía, dejaba chorrear, salpicaba o incluso arrojaba

> **«Mis pinturas no tienen un núcleo, sino que el conjunto es lo que genera interés.»**

Izquierda: Pollock vierte arena sobre una pintura en su estudio.

Derecha: Pollock y su esposa Lee Krasner con un invitado en 1949.

Página contigua: Jackson Pollock en su estudio, conocido como The Springs, *en East Hampton (Nueva York), 1949.*

pintura directamente de la lata. El color no lo manipulaba con pinceles, sino con palos, paletas o cuchillos, y a veces creaba una pasta espesa con una mezcla de arena, cristales rotos u otros materiales poco convencionales. En lugar de quedarse quieto delante del lienzo y pintarlo con un movimiento de muñeca, se movía constantemente alrededor de él en un proceso creativo en el que intervenía todo el cuerpo. Según la teoría, este tipo de «pintura de acción» se traducía en una expresión directa o una revelación del inconsciente del artista. Sin embargo, a principios de la década de 1950 Pollock abandonó la técnica del goteo, aunque siguió creando pinturas de estilo expresionista abstracto, así como obras figurativas o semifigurativas y pinturas delicadamente moduladas con una pasta espesa.

Pollock había luchado contra el alcoholismo durante muchos años, y en 1956 murió al estrellar su coche bajo los efectos del alcohol. Se adelantó tanto a su tiempo que fueron pocos los que entendieron su estilo en vida del artista, pero en la década de 1960 se le consideró la figura más destacada del movimiento pictórico más importante del siglo en Estados Unidos.

Gianni Versace

UN MAESTRO DEL ESTILO
2 DE DICIEMBRE DE 1946 - 15 DE JULIO DE 1997

El estilo Versace es un sello de identidad, conocido por los colores vivos, los estampados llamativos y el corte impecable. Sus colecciones de hombre y mujer suelen ser atractivos y rayan casi en la vulgaridad.

Gianni Versace nació en Reggio Calabria (Italia), donde su madre trabajaba como modista. El joven Versace aprendió pronto los secretos de la costura y no tardó en ponerse a diseñar: hizo su primera prenda, un vestido de terciopelo que dejaba los hombros al descubierto, cuando tenía solo nueve años. Aun así, estudió arquitectura antes de dedicarse a la moda y trasladarse a Milán con 25 años. La primera oportunidad de demostrar su habilidad en público le llegó en 1972, cuando diseñó una colección para Fiori Fiorentini, una empresa de Lucca. Pronto empezó a diseñar para varias casas de costura italianas, pero la primera vez que firmó con su nombre fue en 1974, en una colección para Complice.

«Mi sueño fue siempre ser compositor, pero la moda surgió con naturalidad.»

En 1978 Versace inauguró su propia empresa con una colección para mujer llamada *Gianni Versace Donna*. Abrió una tienda propia en Milán, aunque seguía vendiendo ropa de otras marcas. Sin embargo, poco tiempo más tarde el estilo Versace ganó tanta popularidad que pudo abrir tiendas en todo el mundo. En 1979 había empezado a trabajar con varios fotógrafos de renombre, como Richard Avedon

Arriba, izquierda: Versace con Karen Mulder, Linda Evangelista y Carla Bruni tras un desfile de moda en París en 1995.

Arriba, derecha: Gianni Versace con su hermana Donatella en 1996.

Página contigua: Versace posa en Los Ángeles en 1991.

(su favorito), Helmut Newton, Herb Ritts y Steven Meisel. En 1986 se expusieron las primeras retrospectivas de la obra de Versace en Chicago y París.

Versace, que se declaraba abiertamente gay, conoció a su pareja, el modelo Antonio D'Amico, en 1982. Estuvieron juntos hasta la muerte de Versace y solían coincidir con famosos como Madonna y Elton John. Versace también hizo sus pinitos en el mundo del cine como diseñador de vestuario para las películas *Juez Dredd* (1995) y *Una historia diferente* (1997). También diseñó vestuario para el teatro, la ópera y el *ballet* y, en 1993, recibió el primer *oscar* de la moda de Estados Unidos.

En 1997 un desequilibrado le disparó en su casa de Miami (Florida) cuando volvía de dar su paseo matutino. Desde entonces su hermana pequeña, Donatella, que había sido su musa, asumió el cargo de jefa de diseño y su hermano mayor Santo se convirtió en consejero delegado de un imperio de la moda valorado en 500 millones de libras.

Lugares de culto
Tumbas y monumentos conmemorativos

Músicos: *pop y rock*

Marc Bolan: crematorio de Golders Green, Londres
Karen Carpenter: Pierce Brothers Valley Oaks Memorial Park, Los Ángeles
Ian Curtis: cementerio de Macclesfield, Reino Unido
Nick Drake: iglesia de Santa María Magdalena, Tanworth-in-Arden (Reino Unido)
Cass Elliot: Mount Sinai Memorial Park, Los Ángeles
Andy Gibb: Forest Lawns, Hollywood Hills, Los Ángeles
Jimi Hendrix: Greenwood Memorial Park, Renton (Washington)
Buddy Holly: cementerio de Lubbock, Lubbock (Texas)
Whitney Houston: cementerio de Fairview, Westfield (Nueva Jersey)
Michael Jackson: Forest Lawns, Hollywood Hills, Los Ángeles
Brian Jones: cementerio de Cheltenham, Reino Unido
John Lennon: Strawberry Fields, Central Park, Nueva York
Bob Marley: mausoleo de Bob Marley, St Ann (Jamaica)
Jim Morrison: cementerio Père-Lachaise, París
Elvis Presley: Graceland, Memphis (Tennessee)
Ritchie Valens: cementerio San Fernando Mission, Mission Hills (California)
Frank Zappa: Westwood Memorial Park, Los Ángeles

Políticos y activistas

Benazir Bhutto: Garhi Khuda Bakhsh, Sindh (Pakistán)
Steve Biko: cementerio de King Williams Town, Sudáfrica
Che Guevara: Villa Clara (Cuba)
John F. Kennedy: Cementerio Nacional de Arlington, Washington, D.C.
Robert F. Kennedy: Cementerio Nacional de Arlington, Washington, D.C.
Martin Luther King: Martin Luther King Jr. National Historic Site, Atlanta (Georgia)
Harvey Milk: columbario de San Francisco (California)
Eva Perón: cementerio de La Recoleta, Buenos Aires (Argentina)
Malcolm X: cementerio de Ferncliff, Hartsdale (Nueva York)

Actores

John Belushi: cementerio de Abel's Hill, Martha's Vineyard (Massachusetts)
John Candy: cementerio Holy Cross, Culver City (California)
Montgomery Clift: cementerio de The Quaker Friends, Brooklyn (Nueva York)
James Dean: cementerio Park, Fairmount (Indiana)
Rainer Werner Fassbinder: cementerio de Bogenhausener, Múnich (Alemania)
Judy Garland: cementerio de Ferncliff, Hartsdale (Nueva York)
Jean Harlow: Forest Lawn, Glendale (California)
Grace Kelly: catedral de San Nicolás, Montecarlo
Heath Ledger: cementerio de Karrakatta, Perth (Australia)
Bruce Lee: cementerio de Lakeview, Seattle (Washington)
Marilyn Monroe: Westwood Memorial Park, Los Ángeles

John Ritter: Forest Lawns, Hollywood Hills (California)
Romy Schneider: Boissy-sans-Avoir, Île de France (Francia)
Sharon Tate: cementerio Holy Cross, Culver City (California)
Rodolfo Valentino: Hollywood Forever, Los Ángeles
Natalie Wood: Westwood Memorial Park, Los Ángeles

Deportistas

Arthur Ashe: cementerio de Woodland, Richmond City (Virginia)
Seve Ballesteros: Pedreña (España)
Maureen Connolly: Sparkman Hillcrest Memorial Park (Texas)
Duncan Edwards: cementerio de Dudley (Reino Unido)
Lou Gehrig: cementerio de Kensico, Valhalla (Nueva York)
Bruce McLaren: cementerio de Waikumete, Auckland (Nueva Zelanda)
Thurman Munson: Sunset Hills Memory Gardens, Canton (Ohio)
Ayrton Senna: cementerio de Morumbi, São Paulo (Brasil)
Payne Stewart: cementerio Doctor Phillips, Orlando (Florida)

Músicos: *jazz, música clásica y country*

Bix Beiderbecke: Oakdale Memorial Gardens, Davenport (Iowa)
Jacques Brel: cementerio de Atuona, Atuona (Polinesia Francesa)
Maria Callas: cementerio Père-Lachaise, París
Patsy Cline: Shenandoah Memorial Park, Winchester (Virginia)
Nat King Cole: cementerio de Forest Lawn, Glendale (California)
John Coltrane: Pinelake Memorial Park, Farmingdale (Nueva York)
Sam Cooke: cementerio de Forest Lawn, Glendale (California)
Jacqueline du Pré: cementerio judío de Golders Green (Londres)
George Gershwin: cementerio de Westchester, Hastings-on-Hudson (Nueva York)
Billie Holiday: cementerio New St Raymonds, Bronx (Nueva York)
Mario Lanza: cementerio Holy Cross, Culver City (California)
Charlie Parker: cementerio Lincoln, Kansas City (Misuri)
Édith Piaf: cementerio Père-Lachaise, París
Bessie Smith: cementerio de Mount Lawn, Sharon Hill (Pensilvania)
Hank Williams: anexo del cementerio Oakwood, Montgomery (Alabama)

También se fueron

Lenny Bruce: Eden Memorial Park, Mission Hills (California)
Princesa Diana de Gales: Althorp, Northamptonshire (Reino Unido)
Amelia Earhart: International Forest of Friendship, Atchison (Kansas)
Ana Frank: Bergen-Belsen (Alemania); casa-museo de Ana Frank, Ámsterdam
Yuri Gagarin: cenizas depositadas en el muro del Kremlin, Moscú
Tony Hancock: iglesia de St Dunstan, Cranford (Londres)
Steve Irwin: Australia Zoo, Beerwah, Queensland (Australia)
Frida Kahlo: La Casa Azul (museo), México D.F. (México)
Jackson Pollock: cementerio de Green River, East Hampton (Nueva York)
Gianni Versace: cementerio de Moltrasio, Como (Italia)